BIBLIOTECA ERA

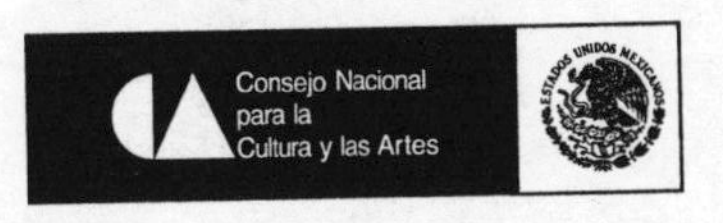
Consejo Nacional
para la
Cultura y las Artes

Pablo Soler Frost

Yerba americana

Pablo Soler Frost

Yerba americana

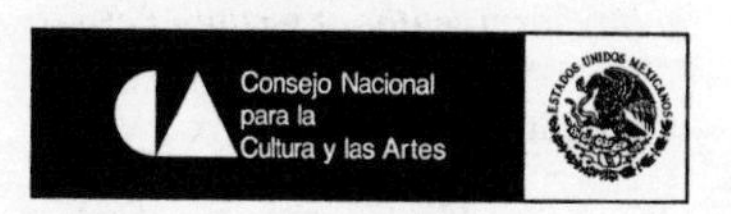

Coedición: Ediciones Era/Consejo Nacional para la Cultura y las Artes
Dirección General de Publicaciones

Primera edición: 2008
ISBN-10: 968.411.705.1 (Era)
ISBN-13: 978.968.411.705.1 (Era)
ISBN-10: 970.35.1526.6 (CNCA)
ISBN-13: 978.970.35.1526.4 (CNCA)

Calle del Trabajo 31, 14269 México, D.F.
Impreso y hecho en México
Printed and made in Mexico

www.edicionesera.com.mx

In Memoriam
Salvador Elizondo

Y para Juan Carlos Martín.

I. SOUL

Lost in a Roman wilderness of pain...
Jim Morrison, *The End*

1. *LLEGÓ LA NOCHE Y NO ENCONTRÉ UN ASILO*

¿Recuerdas? ¿Esa tarde? Estaban filmando aviones. Y de pronto, ¿a quién no le pasaría?, te dieron ganas de irte en avión. Ganas de irte. De dejarlo todo, abandonar el barco. Dejar este México confuso. Era que, aunque lleno de sórdidos rumores se te aparecía el mundo, sentías las ganas de ir a probar fortuna a otra parte. Tú sabes cómo es. Es como el tiempo, en las palabras de san Agustín. Aquí todo es así. El medio dividido. Los árboles tasajeados. Los ríos puercos. Las ejecuciones diarias ocupan una columna en la página cinco de los diarios a colores. Atrocidades. Rafagueados. Sicarios. Premoniciones y tristes augurios. Un "¡Sálvese el que pueda!" general.

De niño, Pato, no entendías esta frase que entonces te gustaba. Ahora la entiendes, pero no te gusta nada. Tiene el *Titanic*, entre otros honores, ser el primer barco en el que, al naufragar, no se honró aquello de las mujeres y los niños primero. El "¡Sálvese quien pueda!" te recordaba ahora, siempre, tus propias carencias. Te recordaba lo sucedido a Turgueniev, quien, durante el incendio de un barco, en el Báltico, antes pensó en sí mismo que en los demás. Hay una carta de su mamá en que se lo reprocha.

Una sola vez te habías subido a un barco, para ir de Australia a Tasmania y, aunque siempre te gustó toda la imaginería del mar (imaginaría que por ser maricón, no por haber leído la literatura de la mar océana, desde *Un capitán de quince años* hasta *Querelle*), siento que no te sentiste a gusto en el navío. "Un barco, dijo el doctor Johnson, es una cárcel en la que corre uno el peligro de ahogarse". Nunca lo confesarías, pero te mareaste terriblemente. En cambio los aviones te gustan, te gustan los aeropuertos. Sabes que es un sentimiento muy contrario a tus principios o a eso que aún llamas tus principios, pero también sabes que te gustan.

Aviones fulgurantes. Unos surcan el cielo. Otros van moviéndose con lentitud por las pistas. Aviones que despegan. Aviones en el aire, lejanos unos, cercanos otros: unos apenas se distinguen en el inmenso cielo; otros ocupan todo el espacio, enormes y abstractos. Una turbina. Geometrías, repeticiones, vidrios, metales, reflejos, vapores. Las repeticiones: Warhol las amaba también. No sabes por qué. ¿Alguna rara respuesta tibetana? Tal vez.

No sabes tampoco por qué te gustan a ti mismo tanto. Pero, de entre todos los timbres que coleccionas tus favoritos son los bloques de seis o de cuatro, o las *strips* de tres, los repetidos. (Más si tienen aún *selvage* y éste está marcado con un número magenta o el letrero huecograbado de una *printing house* de algún gobierno eficiente, como la *American Bank Note Co.*). "Antes no eras tan pocho, Pato", te dijo Luis un día y sólo atinaste a responder que qué bonitos eran los billetes de aquella infancia perdida: el Calendario azteca rojo; la Corregidora, la Tehuana, el Allende azul de cincuenta, el Hidalgo de cien pesos café y el Emperador Cuauhtémoc en los de a mil.

Un avión cruza el cielo entero de México. Piensas en ello mientras ayudas a Andrés que anda filmando aviones para el video de unos amigos suyos que quieren "pegarle"; lo de los aviones fue idea de Andrés.

Estaban los dos en un puente cercano al Peñón de los Baños, en esta ciudad que es el desastre mexicano. La tarde estaba linda. Los rodeaban antenas y mallas de alambre, y abajo micros y coches y camiones materialistas y pipas y patrullas que avanzan con demasiada lentitud. Pirules, eucaliptos, sauces. Un colorín enfermo. La caja de un tráiler abandonada; una bicicleta de un cuate que vende tacos de suadero atrae más curiosos que los dos güeritos filmando en el puente vaya uno a saber qué. Aunque te has fijado, David, Pato, en que los niños siempre miran las cámaras.

De pronto, Pato, te quedaste *clavado* en las llantas del tren de aterrizaje doblándose mientras chirriaban y echando humo y chispas al tocar tierra un gigantesco pájaro de metal. Y te dio un escalofrío, ¿recuerdas?

2. *LOS INVISIBLES ÁTOMOS DEL AIRE*

El cuerpo de Jim Morrison. La tetilla de Jim Morrison. El collar de cuentas de Jim Morrison. Jim Morrison. Un póster. Una bandera de California, con su oso y con sus letras. Un flamenco de Audubon. La Virgen de Guadalupe. Ídolos precolombinos. Unas letras en la pared que rezan así: *That beautiful place called "mañana"*. Libros regados. Walt Whitman, *Leaves of Grass*. James Fenimore Cooper, *The Last of the Mohicans*. De William Carlos Williams, *In the American Grain. Portraits of Native Americans*. Tom Sawyer. Henry James. Robinson Jeffers. J.D. Salinger. James Douglas Morrison. Thomas Pynchon. También muchos libros sobre México; uno de Diane Kennedy, uno de Oliver Sacks, unos de Greene y de Waugh (cuando les dio el vahído por la expropiación del 18 de marzo), otro de Robert Redfield, uno de D.H. Lawrence, otro de Alma Reed, otro de Rosalie Evans, ese famoso de Alan Riding, otro de David Lida. Discos de corridos de la frontera, también de Lila Downs, Linda Ronstadt, discos de Titán, Placebo, Molotov, Tin Tán, Esquivel. Y ese cuerpo de Morrison, para morderlo, para amasarlo, para comerlo. No pensaré en ello, pensaste y te persignaste bajo la mirada del Rey Lagarto. En la pared, al lado, una placa de coche de Florida, otra de Minnesota. Exvotos del bórder, de persecuciones, balazos, ahogados en el Río Grande, atropellados, o injustamente detenidos; exvotos de las Torres Gemelas. Se ve la explosión pintada en la laminita. Al lado, el Señor de Chalma. Una ventana por la que entra el sol de México. El recuadro que el sol hace en el parquet. No hay plantas. La cama desarreglada: te descubrió el sol desnudo y mal tapado y crudo de nuevo. No supiste dónde estabas, aún a medias ebrio y, al voltear, descubriste un chavo dormido junto a ti, un güero de espalda grande y llena de pecas, y aún no caíste en cuenta en donde estás, ni quien está a tu lado. Intenta hacer memoria. El antro. Los vodkas. El gringo. La plática sobre las dos naciones. Lo híbrido. Buscaste tus cigarros. Siempre guardas dos, no importa que bebido hayas estado la noche anterior, siempre guardas dos. Tomaste un libro de Robinson Jeffers y, levantándote a medias, te pusiste a leer en voz baja algo sobre el horror de ser hombres. Pero dejaste el libro y seguiste fumando intentando recordar algo; estás muy crudo. De pronto, el ruido de un taladro en el cruce de la calle te termina de atolondrar. Decidiste explorar el refrigerador y, para tu sorpresa lo hallaste bien provisto. Sacaste un jugo de *Minute Maid*. Bebiste. Suspiraste.

Un libro de Cezánne. Junto a un dibujo a pluma, la siguiente sentencia: “Tout est en train de disparâitre. Si vous voulez voir encore quelque chose, il faut se depécher”. Es decir: “todo está a punto de desaparecer. Si quieres ver aún algo, más te vale que te apures”. El sol comienza a calentar.

“Me voy a vestir”, te dijiste. Y la cabeza te estallaba...

3. *COMO ENJAMBRE DE ABEJAS IRRITADAS*

Pensabas en Andrés, saliendo de ese raro departamento yanqui en Melchor Ocampo; quisieras ir allí, donde tu amigo, pero te diste a tiempo cuenta que andas demasiado crudo, hueles demasiado a alcohol. Mejor decidiste irte a su casa, a bañarte, a arreglarte, a dormir un poco, a echarte una chela. No sabes que Andrés y María están solos en la terraza de su departamento de por donde era el Malpaís, donde el sueño de la serpiente de piedra, donde luego existió el cine Pedregal 70, despidiéndose.

El departamento de ellos; ¡cómo te gusta más que tu propia casa! Es un departamento en un quinto piso, de maderas suaves, algunos muebles antiguos, grandes cuadros en las paredes: un tirador de cricket intervenido atomísticamente por Gabriel Orozco, unos grabados de Ruelas, un grabado, también de átomos, de Dalí, otro, más famoso, en que Gala se desgaja como una naranja.

Si supieras Pato que Andrés está descalzo, vestido con unos jeans nada más; que María parece como lista para irse. Ella tiene puesta una mascada multicolor, con rezos nepalíes, el brazo izquierdo lleno de pulseritas de hilo (cada una, evidentemente, significa algo, y algunas sí significan ese algo de veras): está ligeramente maquillada, como hace siempre. Siempre ha sido flaquita, y muy guapa. Andrés hoy parece más joven de lo que es; es viril, también, muy guapo. Uno pensaría que cuerpos así no conocerían el dolor de la desunión; pero aquí está. Han pasado la que puede ser su última noche juntos. Se nota su confusión, su endurecimiento, sus ganas de hacer también como si no pasara nada, su indecisión frente a lo que parece inevitable. María está a punto de embarcarse para un larguísimo viaje a la India.

–Entonces... ¿estás segura que no quieres que vaya?

María lo mira. Lo mira muy largamente, como hace siempre, a punto de ser demasiado. Andrés recuerda cómo lo desconcertaba esa mirada de María, muy al principio. Siente una brisa fría, de esas brisas que la gente llamamos "briznas" y que traen anuncio de agua, y se frota un brazo. María entra brevemente a la sala iluminada y le trae una camisa blanca y limpia.

–No es que no quiera que vayas, Andrés. Lo que quiero es ir sola.

–Pero si no vas a ir sola, sino con tus amigos de tu secta... Perdón...

María se enoja, con esa rabia interior que tan bien conoces, Pato, y esto, aunque no lo sabes, ya podrás imaginártelo.

–No tiene sentido ir a la India para andar enfurecido, Andrés.

Andrés le contesta con desabrimiento:

–No, me imagino que no...

Antes el tema de la India le agradaba; y de niño había leído mucho, no sólo de la India fantástica de Salgari y de Verne, y de Kipling (los estranguladores de la diosa Kali, el pozo negro de Calcuta, Tippu Sahib, la revuelta de los cipayos, los ferrocarriles anglo-indios) sino también de la India real de la independencia, de Gandhi, de Nehru; tal vez él le había prestado a María su primer libro sobre la India. Pero se había clavado tanto, y tanto. Era inevitable. María siempre había querido creer en algo; lo católico se le hacía muy cercano y muy anticuado; lo indio estaba suficientemente explicado, suficientemente lejos, era lo suficientemente raro, pero además, le quedaba bien cerca el lugar de la yoga, y un centro de conferencias (una antigua casona de San Ángel, que había sido de un verdadero demócrata, un escritor político, y ahora estaba pintada de elefantes bailando y revolviéndose enjoyados en la pared de lava volcánica tajada). Andrés busca unos cigarros. Prende uno. Hay un cenicero a reventar junto.

–¿Sabes? Cuando te veo fumar pareces de otra especie, Andrés. Como cuando comes carne... Una especie, perdóname que te diga, un poco...

–...atrasada, yo lo sé, pero no tienes razón. No tienes ninguna razón...

–Tú sí tienes la razón, ¿no es así?

María se acerca a él. Tiene una ternura real, pero al mismo tiempo inventada, como si a fuerzas de querer ser buena, ya lo fuera. A Andrés esto lo pone fuera de quicio, desde la primera vez que lo advirtió.

–Voy en busca de respuestas...

–¿Y eso qué chingados significa, María?

–Ya estás diciendo palabrotas de nuevo...

–Soy hombre...

–¿Y?

Andrés fuma y se calma. Su cara, afilada. Sus dedos. Su boca. El cigarro. María no hace nada. No mira nada, hasta que mira su reloj. Luego mira otro reloj, un cucú que detesta y que les regaló la tía Lucy. Luego, ceniceros llenos. Aunque odia los cigarros, se lleva el cenicero lleno hasta la cocina, lo vacía en un bote de desechos inorgánicos, y regresa donde Andrés consume su cigarro que lo consume.

–Es hora... ¿Me pedirías un taxi al aeropuerto?

–¿No quieres que te lleve?

–No. Los viajes tienen que comenzar en el umbral de uno.

–Dios... ¿No deberías pedir entonces tú tu taxi?

–No veo por qué tengas que ser tan desconsiderado...

–Y yo no veo por qué tienes que irte cuarenta días al otro lado del planeta a buscar respuestas... ¿Te pido el taxi?

–Cambié de opinión. Ya no. Tienes razón. Voy a tomar un libre en la calle... Esa es la manera de comenzar; ese será el umbral. No pongas esa cara. Dame un beso de despedida; deséame suerte, ¿no, flaco?

Andrés no puede evitar besarla con pasión y ternura. María responde muy a medias el beso. No es un compromiso: casi ni siquiera es nada.

–Que Dios te acompañe.

–Y que a ti, Andrés, Shiva y Vishnú, y Ganesh...

María calla. Hay algo ridículo en que sea ella la que pronuncie la retahíla con los nombres de algunos de los más de 30 000 dioses indios y ella se da cuenta.

–Cuídate –le dice– mejor.

María agarra una maleta de *backpacker* y con esfuerzo intenta ponérsela en la espalda. Andrés está a punto de ayudarla; lo piensa medio instante, por fin la ayuda, y ve que el *backpack* esté bien cerrado y anudado. María sonríe.

–Ahora sí. Chao.

–Chao –dice Andrés; luego, quiere besarla de nuevo, quiere suplicarle, quiere decirle que la ama como era y que la odia como es; y se da cuenta enseguida que todo está perdido, todo, por lo menos, hasta después de la India, en otra latitud, en otra longitud.

María abre y cierra la puerta. Se oye el ruido del ascensor que sube. Andrés apaga su cigarro, pero no se mueve. Ruidos de la calle. Árboles por la ventana. El avión que pasa por el cielo. Andrés prende un toque de marihuana, y fuma, y tose. Muy cercano, ruido de llaves. Es doña Filo.

–¿Joven Andrés?

–Aquí ando, Doña Filo...

Doña Filo entra a la habitación. Es una mujer rotunda, entendida. Ha sido incluso lideresa de varias causas populares, pero desde "que le dio un aire", no ha vuelto a ser la misma, y ya no le gusta tanto estar en la calle, aunque sigue siendo muy organizada y allá, en su colonia, en Los Reyes, muchas cosas pasan como hilos por sus manos. Su nombre completo es Filogonia Gómez González, pero algo desde muy niña le hizo preferir la autoridad del apócope la festoneada pronunciación de su nombre entero; y no se equivocó, decías, malicioso, Pato.

Ve que Andrés está fumando, pero que, además, está como a punto del llanto. Conoce a Andrés desde niño, aunque no fue su nana.

–Buenas tardes. ¿Ya?

–Sí, doña Filo...

–Ya te dejaron, ¿verdad? ¿Para irse a l'India?

Andrés no contesta, pero se queda un poco ausente mirando a doña Filo, apoyada en la mesa, con todas sus cosas y chivas colgando de su brazo aún. Doña Filo comienza a dejar sobre el mosaico de la barra, un mosaico muy moderno que imita a uno muy antiguo, un teléfono celular, su llaverío, flores, pollo en una bolsa de plástico rosa, tortillas, un queso fresco, jitomates, cebollas, chiles.

–Ay Andresito. Déjame decirte que las mujeres ya nos volvimos locas, perdonando la expresión. Ya nadie queremos buenamente a los hombres buenos. Por eso dicen que ya se acerca el Día del Juicio... Locas, de veras. ¿Por qué no vas a recostarte un ratito? Ahorita te hago un té... o un whisky, si quieres, mejor.

–Gracias, doña Filo. Creo que sí me voy a echar un rato... No me pase a nadie, doña Filo... Ni al Pato; nomás a mis papás, si es que se acuerdan de mí...

Doña Filo se acerca al lugar donde está Andrés. Éste toca el hombro de la mujer. Ella le da un abrazo levísimo, pero muy sentido.

–Te voy a hacer unas enchiladas...

Esa era la receta clásica de doña Filo para todos los males. Para aliviarse de la panza tenía menjunjes terribles.

* * *

Tal vez para acentuar su tristeza, o por costumbre, para no estar ocioso, Andrés filma, de pie, el avión que pasa sobre las cerros y los edificios desde su terraza. No es un avión que vaya hasta la India. De hecho va para el otro lado.

Cuando acaba de pasar el avión, apaga la cámara y entra decididamente a su estudio, corriendo una puerta de vidrio. Deja la cámara sobre una mesita llena de sus cuadernos de fotografías y pensamientos, prende un cigarro, inhala, enciende la televisión y exhala. Sus dedos se mueven rápida y un poco negligentemente sobre el control, hasta que llega a video y entonces se levanta, mete un video al aparato, empujándolo, y se sienta de nuevo a ver videos de aviones pasando, que suponemos son suyos. Pero algo lo tumba. Suspira hondo. Luego tose. Y tose de nuevo, enrojeciendo. Andrés se hace como un ovillo frente a la televisión. Junto a la pantalla, fotografías de sus días más felices. Ellos, en la Borgoña. Y en Brujas. Y en San Luis Potosí.

4. *Mi frente es pálida; mis trenzas de oro*

A Ecuador (en este instante, como si fuera su propia imagen en una *polaroid*, con su pie vendado, una muleta, el pelo corto y güero y una maleta deportiva) nunca le había ido bien en la vida; y tal vez por eso se conformaba con todo.

Al salir del hospital, allí en avenida Álvaro Obregón, no iba enojada, ni molesta, ni siquiera resignada, puesto que la resignación hubiera sido reconocer en el guión de su destino una falta y adaptarse a ella. Y ni siquiera. No porque no se supiera (o se imaginara) llena de faltas, sino porque su aceptación de la vida era casi absoluta, casi como la de la mujer que había visto el otro día cargando leña por Huitzilac, mientras ellos andaban perdidos, buscando un bautizo en el que nadie, sino el padre y ella repitieron el *Pater Noster*.

Mira la estatua de Cantinflas (un poco malhechona, pero aún así la estatua de un actor), mira el gesto ("Ahí está el detalle") que volvió famoso al cómico, mira la calle, las gentes. Puestos de banderas en las esquinas. Es día 14 de septiembre. Allí está el detalle. Suspira. Pasa un taxi, de esos con un sombrerote de mariachi en el techo. Ecuador lo esquiva y atraviesa la avenida donde atentaron infructuosamente contra Álvaro Obregón, sola, y llega sola a su edificio, en la misma avenida, sólo que del otro lado. En sus movimientos y en su cara se nota una como urgencia, unas ganas de llegar a su casa, suponemos, ganas de tocar tierra. Coches acerinos pasan con la bandera mexicana ondeando.

Al llegar a su departamento, Ecuador se dio cuenta que estaba un poco obscuro. Prendió una luz, antes de ir a correr las persianas. Y fue mirando, no de un vistazo, sino fijamente, todas las cosas que había en su pequeño departamentito. La mirilla, por ejemplo, que tiene un corazón de cartón rojo alrededor. Al lado un San Martín de Porres, y una invocación de San Ignacio contra el demonio que le dice: "¡No entres!". Al dejar las llaves, cojea hasta la ventana, y abre las persianas. El sol entra. En las paredes, se iluminan puras cosas de teatro: pósters (ella en *Medea*, en una obra de Ionesco, en *Calígula* dirigida por un viejecito tiránico y libidinoso), fotografías de actores a los que ella admira, Mary Pickford, Douglas Fairbanks, Dolores del Río, Greta Garbo, James Dean, máscaras, Viena y Venecia, milagritos de corazones atravesados por una espada o llameantes de caridad. Flores marchitas como si estuvieran llorando. Hay muchísimas plantas. Entre ellas sábilas adornadas con cintas rojas. "Ay, pobres... ¿No las regó Rocío? Ahorita mismo les traigo su agua...", dijo medio para sí, medio en voz alta. Es algo que hace, sin darse bien a bien cuenta, mientras escribe su diario, o se baña, o sube a la azotea a tender su ropa.

Flashea la flecha que indica que hay recados en la máquina contestadora, y la prende; luego sigue su camino a la cocina, y abre la llave del agua y se pone a llenar una regadera, pintada de rojo. Y oye la voz de Ricardo, alias "el Chupacabras", productor, director y adaptador de *La fierecilla domada*. Recuerda vivamente por qué estaba en el hospital: en uno de los ensayos la tarima se había venido abajo, y a resultas de ello ella se había luxado tan feamente su pie derecho (aunque le había ido mejor que a uno de los tramoyistas, que terminó esa tarde con dos costillas rotas) que la había llevado Lupita, la apuntadora, al sanatorio.

–"Ecuador... Ecuador... ¿no has llegado aún? Es Ricardo... Llamé al hospital... Me dijeron que ya habías salido.

Mira, tenemos un grave problema, con lo de la tarima y tu caída, y todo, y pues... pues no podemos esperarte. Me parte decírtelo, pero la Fierecilla va a tener que ser Aurora Santo; no te puedo esperar a que te me compongas, y ni modo que vayas cojeando. Lo siento. Sé lo que esto significa para ti. De la lana, luego vemos, ¿no?

Yo me voy ahorita para Tuxtla, que me invitaron al "Grito". Que estés bien. No me llames. Chao".

No pudo evitar sentirse, ahora sí, triste; y eso no era, como supiste después Pato, cosa que le sucediera tan fácilmente. De hecho comenzó a llorar, quedamente, sentadita. Entonces se oyó el siguiente mensaje:

–"¿Ecuador? Es Andrés. Este, mira, mañana me voy para Real de Catorce... María me dejó para irse a la India. ¿Quieres venir conmigo? Si sí, llámame. Un beso".

Con la misma naturalidad con la que lloró, ahora se sonríe. Junta sus manos y hace un gesto budista de agradecimiento. Luego se seca una lágrima. Se sonríe de sí misma.

5. *El sol se había puesto*

–¿Bueno?, dijo Andrés, al que el sonido del teléfono despertó.

–¿Andrés?

La voz era esa voz suave, nordense. Era esa voz que lo había cautivado hacía años, antes de casarse con María.

–Hola. Ecuador, ¿cómo estás?

–Bien...bueno, mal, pero no importa...

–Estamos igual. ¿Oíste mi recado?

–Sí.

–¿Y qué piensas?

–Me encantaría ir contigo al desierto. Estaría padrísimo. Nomás que tengo un pie luxado. ¿No te importa?

–Cómo crees que me va a importar... ¿Podrías estar lista mañana a las cinco y media de la mañana? Es la mejor hora para salir de esta ciudad. Claro que mañana es dieciséis... ¿Sigues viviendo en Álvaro Obregón?

–Sí, arriba de la librería y de unos tacos horribles... Es el número 3... Y... ¿Andrés?

–¿Sí?

–Gracias... Siempre has sido alguien muy especial para mí... Te vas a reír, pero siempre apareces cuando te necesito...

–Es al revés, Ecuador, es al revés... Nos vemos mañana. Chao.

–Chao.

Andrés es un caballero, pensó.

El día 15 el caballero amaneció deprimido. A Andrés no le gustó nunca estar solo, sin mujer. Le era de verdad extraordinariamente difícil. "¡Que se acabe este año, Señor, ya!", se dijo, al afeitarse, recién bañado, cubierto tan sólo por una toalla blanca. Luego se arrepintió. ¿Quién era él para decirle al Señor que pasaran los días más rápidos, más zigzagueantes, más lentos? Agradecía que todo estuviera en silencio a su alrededor. A su lado, sobre la cama traída desde San Juan de los Lagos, su maleta, una de esas grandes bolsas de soldado: el único distintivo en el anónimo verde es el escudito de alguna ciudad que ha visitado: tan sólo lo tiene para poder distinguir su equipaje en la banda rotatoria de los aeropuertos.

Por la tarde todo lo que va a llevar está ordenado sobre la cama. Ropa, dinero, brújula, navaja suiza, la cámara de súper 8. Un sombrero campirano aún cuelga de una percha. Sonó de pronto el teléfono de al lado de la cama. Andrés supo que eras tú, Pato, desde antes de contestar; prendió un cigarro y entonces contestó.

–¿Bueno?

–¡Quihubo!

Sí, eras tú, Pato. Estabas en la primera de las tres fases del verbo "tomar", como en "Aquí estoy, mi general, tomando", como le hubiera dicho Eufemio a Emiliano (*El águila y la serpiente* de Martín Luis Guzmán: siempre, decías, vale la pena referirse a la mejor novela mexicana. Es 1915: la ciudad de México estuvo entonces ocupada por las tropas de la Convención, villistas y zapatistas, con gran susto y no pocas desgracias y crímenes, pero también cosas chuscas y extrañas, entre otras la ruina del jardín japonés de José Juan Tablada en Coyoacán. Llega don Eulalio Gutiérrez, el primer presidente convencionista, si no estoy equivocado, a Palacio Nacional. Las tropas, esas tropas sobre las que no tenía mando, evidentemente, habían entrado antes. Va acompañado por Martín Luis. Ahí está Eufemio Zapata, ufano ujier de la ruina. Todo está en orden; Eufemio muestra los salones de Palacio; y muestra "la silla". Allí se da un intercambio fatal de agudezas entre Eufemio y Eulalio acerca de la silla presidencial. Luego bajan al patio, y pasan al segundo patio y a las caballerizas y al tercer patio; y allí, en un cuarto grande y desvencijado, con la puerta cerrada hay trescientos o cuatrocientos zapatistas en el absoluto delirio alcohólico, y pasan el presidente y Martín Luis y un furioso Eufemio, a beber, no pulque, sino tequila, y en un momento Martín Luis con una seña le indica a Eulalio que sería prudente irse y así sustraerse a la amenazadora mirada de Eufemio, pues ya la ofensa de hacía una hora se había ido haciendo llaga. Y Eulalio obedece y salen).

Andrés te agradeció, David, que no estuvieras ebrio; podías ponerte un poquito desagradable luego. No sabes que pensó en colgarte, y hacerse guaje, o hacerse pato, pero le ganó la amistad, o le ganó la compasión.

–¿Qué onda, Pato? ¿Dónde estás?

Ibas saliendo de una cantina, con un celular en la mano, en la avenida Revolución, junto al Mercado de las Flores. Mucha gente, muchos puestos, hoyos en las banquetas, mendigos, turistas, policías, banderas, trompetitas, desmadre, gente bebiendo. Flores. Es que era 15 de septiembre.

–¿Qué vas a hacer para el "Grito"? ¿Puedo lanzarme para allá?

Tomaste un taxi; se enfilaron al Periférico por Altavista y en veinte minutos estaban rodando sobre el Paseo del Pedregal, allí donde los sueños tronchados de las serpientes. Te bajaste donde estuvo el Pedregal 70, donde viste al primer Spielberg (*Jaws* y *E.T.*); y decidiste comprarle unas florecitas a María; la última vez que la habías visto, la habías callado muy feo, casi sin querer, pero pues igual la callaste. El hecho de que tuvieras razón en nada disculpaba tu atrevimiento; pero es que cómo te cansaban los mantras que se repetían las mujeres: horóscopos, yogas, iluminaciones. Para esas, las de Rimbaud le habías dicho; y pues María era una mujer educada: sabía muy bien a qué te referías como para perdonártelo tan fácil.

La señora del puesto es amplia y desdentada, toda sonrisas; compraste cincuenta pesos de palmiras, que así se llaman estas florecitas naranjas; recuerda que en Sussex, donde intentaste estudiar un año, una sola varita de palmiras valía una libra; y diez libras apenas se veían en un florero, como si fueran pinceladas últimas y japonesas. En cambio aquí, en tu ciudad, cincuenta pesos de palmiras alcanzan como para llenar un altar.

El policía del edificio ya te conoce (por lo menos el de este turno), y tú te subes al elevador con gusto: te van a dar de beber, te van a platicar, tal vez hasta te halaguen, tal vez María no esté, y Andrés esté solo, y tal vez quiera besarte. Imposible. "Debo dejar de pensar eso. Está mal; y nunca va a pasar. Si ni siquiera le gusta darme un abrazo". Tocaste el timbre, que te recuerda la chicharra de tu escuela. Es Andrés quien le abre la puerta. Ambos sonríen.

–No son para ti, güey, son para María.

–María se fue a la India...

Se miran. Las miradas de ambos son muy distintas: la de Andrés es la de un amigo que le cuenta un secreto ridículo a su otro amigo, un secreto ridículo, sí, pero penoso, casi terrible. La tuya, Pato, es de admiración, como siempre que ves a Andrés, pero también hay un momento en que pareces estar echando cuentas de dónde queda todo una vez que has asimilado la información. Se dieron la mano. El apretón de manos de Andrés es hospitalario, y convida a pasar; el tuyo, Pato, es fuerte y como que jala a Andrés hacia él, pero Andrés deshace el apretón de manos y con una palmada, te hace entrar Pato, y cierra la puerta.

–Lo siento Andrés... No, si las mujeres están locas...

–Lo mismo dijo Doña Filo... Pásale... ¿Quieres tomar algo?

–Un whisky, man...

–Como no...

Entraste; todo está igual a que si estuviera María, menos la gran mesa de madera, como de refectorio; hay un plato con restos de enchiladas, una botella de Jack Daniels más o menos a la mitad; cigarros, un huato de mota, un libro sobre Antonioni, ceniceros llenos. No hay una mujer en casa, pensaste, misógino.

–¿Y qué te dijo, o qué?

–Que no quería que fuera con ella...

Afuera suenan sirenas.

–Hay muchas cruces hoy...

Silencio. Andrés saca hielos. Como no te están viendo, Pato, te atreviste a preguntar:

–¿Qué vas a hacer?

–Mañana me voy a Real...

–*Orange*. ¿Te vas solo?

–No man. ¿Te acuerdas de esa chava con la que hice el anuncio de *Dove*?

–¿Una de un nombre bien raro?

–Ecuador.

–Sí, sí me acuerdo de ella. Es guapa.

–Sí.

Beben. Andrés pone música en el *i-pod*. Se oye de repente *Praise You*. Tú hablas, y bebes y hablas, y bebes y hablas hasta que logras encender al otro y que también se ponga a hablar; y de pronto lo logras. Has estado perorando sobre literatura latina. Andrés te interrumpe. Tú, Pato, te sirves otra, sin quitarle los ojos de encima a Andrés. Éste dice:

–Es tan importante, si no es que más, Jim Morrison que el gran Ovidio, o que Virgilio... Hoy por lo menos.

Es un signo de que Andrés está triste; está hablando de Morrison: su vida lo intriga, lo apasiona, y, al final, siempre lo entristece.

–Andrés, ¿qué no oyes las mamadas que dices? ¿Cómo va a ser...?

–No es mamada... Estados Unidos es Roma... ¿O no? ¿No se rigen por la ley? ¿No son brutales pero reconsideran? ¿No son legadores de futuro? ¿No son muy religiosos, y muy desnudos? ¿No adoran, cosa imposible, a Dios y a Mammón? ¿No tienen una relación especial con el Templo?

–No si ahora va a tener razón Monsiváis y es la nuestra la primera generación de norteamericanos nacidos en México...

–En realidad fue la suya, pero Dios te oiga.

–Pero si antes no eras pro-gringo...

–Tú lo dijiste... Antes...

–Sí, antes...

–Antes del 11 de septiembre... Claro.

Silencio. Una ambulancia muy a lo lejos, como por San Jerónimo.

–¿Podría acompañarte a Real?

Andrés se te quedó viendo con fijeza. Pensaste "ya la cagué". De pronto, te sonríe. ¡Qué buena gente es!

–Claro güey... Será como cuando fuimos aquella vez... Nomás te quiero suplicar que no vayas a comenzar con tus retorcimientos, Pato. Va a ir Ecuador conmigo, bueno, con nosotros... así que nada de mariconerías, ¿entendiste?

Para no decir que entiendes, apuras tu trago y luego reviras:

–Regálame otro whisky... por favor. ¿Todavía hay cigarros?

–En el refri hay un cartón.

–Gracias.

Se oye a Mahalia Jackson. Luego una canción de Los Súper Elegantes. Y luego...

–Y entonces, es más importante la película norteamericana de Antonioni que, digamos, los discursos de Catón o los libros de Cicerón.

–No lo sé... puede ser.

–Para el Cuestionario Proust, ¿cuál es la mejor película de Antonioni...

–Tú ya sabes cuál es mi favorita.

–¿O sea que no es...?

–No voy a caer en provocaciones. Yo no sé cuál es la mejor película de Antonioni, pero sí sé que no te preguntaría a ti.

–¿'Tons' a quién, *mon vieux*?

* * *

–Fíjate, David, que... ...volví a leer *Elsinore*, la del maestro Elizondo. Me impresiona muchísimo el poder de concentración, la densidad de esa prosa. Es como una de esas estrellas condensadas; materia y luz suficientes para abarcar gigantescas coordenadas, reducidas a su más mínima expresión. Es un libro que habla de tantas cosas... digo, la infancia, la fascinación, el cine, la riqueza, la pobreza, la extranjería, los ritos de iniciación, la adolescencia, las mujeres mayores, el atractivo de la vida militar, el racismo, los "mojados", México, EUA... Así se debía escribir siempre...

–Haría una buena película...

–¿Crees?

–Güey, sale Hollywood...

* * *

Se oye *The Day the Music Died*. Andrés se pone de pie. Tú permaneces sentado. Andrés sale un momento del cuarto. Regresa. Tú cavilas, mustio y borracho.

–Güey, a mí me gusta ser maricón... Es más fluido, más acorde con el espíritu de los tiempos... pero igual me da miedo ir a dar al lugar donde el fuego no se apaga, ni duerme el gusano que pasta de tu carne... No porque me estén diciendo en la tele todo el tiempo que ser gay es superchingón, voy a hacerme gay: a mí me gustan los güeyes, no los gays. A mí me gustan los hombres como se gustaban los hombres en Grecia. No hoy. Es difícil.

Andrés te mira con simpatía.

–Siempre has sido un conservador, David.

–Si de veras lo fuera estaría ahorita en Palacio, ligándome un soldado...

–¿Y por qué no te coges a tu jardinero?

–Güey, eso es como de *Desperate Housewives*.

Andrés como que se queda esperando otra respuesta. Te das cuenta, Pato.

–No se puede... Si me lo cogiera cambiaría todo, y pues... lo necesito...

Y de pronto Andrés remata:

–Pues nomás piensa que igual, igual es conmigo...

Andrés apaga la música. Bosteza. Luego dice:

–Vamos a dormir. Mañana hay que levantarse temprano. Buenas noches Pato. Ya sabes donde está todo, en el cuarto verde.

–¿Podemos pasar a mi jaula por unas cosas?

–Sí. Oye, pero en serio, güey, pórtate super educado con ella. No sea como cuando fuimos a Toniná... no te vayas a pasar de lanza... ¿Ok?

–Okey, okey..., dijiste, descorazonado. ¿No me das un abrazo?

Andrés asiente, y te abraza, no bien, como tanto quieres, sino como se abrazan los hombres mexicanos; palmeándose la espalda como leones marinos, aunque antes de retirarse le regala una hermosa sonrisa. Y tú, David, te quedaste allí, te serviste otra, te aseguraste de tener cigarros, y, apagando la luz, al famoso cuarto verde fuiste. Curiosamente, ibas pensando en María.

6. *REÍA EL SOL*

Estabas dormido en un sofá cama. A tu lado hay una mesita; en el centro de ésta, un *bowl* budista; alrededor de éste, tus llaves, tus cigarros, tu cartera, tu celular, un vaso de whisky vacío. Andrés entra sin tocar, ni despertarte, y se acerca. Toma de la mesa la varita que hará sonar el cuenco. Tú de pronto abriste los ojos y lo miraste, sin pronunciar palabra.

–Buenos días..., te dice, con tono cantarín (de mañana Andrés siempre está de buenas) ¿Has oído esto alguna vez?

Andrés hace sonar el blanco recipiente oriental, que produce un sonido muy particular, mezcla de un eco y de un llamado. Es un algo inescapable, una irrupción en el cuerpo y en el alma. Ibas, Pato a decir algo, pero no dices nada. El sonido crece a cada vuelta de la vara por el borde del recipiente, haciéndose más envolvente, y más profundo. Y tú Pato, ya plenamente despierto, hiciste una reverencia con una sola mano, pegada al pecho, extendida hacia arriba, como habías visto hacer en el Templo del Buda de Jade de Leche en Shanghai. Andrés lo mira y te hace un gesto que te pone de buenas, una especie de cara de *quod est demostrandum*, cuando deja la vara. Aunque ya no está tocando, el sonido continúa, amplificándose.

–Vámonos, ¿no? ¿Estás listo?

No le contestaste. Buscaste tus lentes, te los pusiste y le dijiste:

–¿No me traes una coca, por favor?

–Nomás porque estás bien crudo, papá.

7. *LAS YA BORRADAS HUELLAS*

Amanece en el Distrito Federal. Un águila sale desde los volcanes, el Popocatépetl, el Iztaccíhuatl y se dirige hacia la nata urbana. Allí está Palacio Nacional. Allí el Zócalo. Camiones de soldados. Curiosos. Niños, vendedoras de sombrerones y de banderitas, gente que vende paletas heladas de grosella. Filas verde olivo. Tanques. Allí Catedral. Pasan cosas inquietantes, pero el águila no las comprende.

8. *Exalta y enardece*

Su papá, que había fallecido hacía unos pocos años, le había regalado a Andrés este Mercedes Benz 280 cuando Andrés salió de la escuela. Entonces era casi nuevecito; ahora, parecía nuevo por el cuidado con el que Andrés siempre lo trataba, pero ya era un coche con sus años a cuestas. Era color verde botella. A ti Pato te encantó una época, pero ahora se te hacía ya una pieza de museo. Era además, en realidad, un coche para dos, los que iban adelante. Atrás apenas cabía alguien, sesgado.

–¿En eso vamos a ir a Real?

–A huevo.

A ti Pato, que decías muchas groserías, ésa en particular no te gustaba; tal vez porque no podías decidirte a decirla.

–Y no es "eso" man, tú sabes cómo se llama.

–Sí, sí. ¿Tú manejas, verdad?

–A huevo.

Seguro que Andrés lo sabía.

En China también la dijo mucho, cuando tenían que tomar esos peseros amarillos o el camión de las vueltas para llegar, desde su albergue mochilero y lejano, a la torre que está al sur de la Plaza Tiananmen, lugar donde habían baños y cerveza.

Fueron en silencio a Las Águilas, donde vivías Pato; y luego bajaron por la ciudad dormida hasta estacionarse en San Ángel. Apenas se apearon, apareció Ecuador en el balcón ondulado y viejo sobre Revolución. Tarda un poco Ecuador en bajar con su muleta, sus cosas, su sonrisa. Se saludan, formalmente.

Andrés está muy contento. Toma las cosas de Ecuador y tarareando, las guarda atrás con ese cuidado característico en él.

Los tres, a punto de subirse al coche; Andrés abre su propia portezuela y entra. Tú, Pato, según tú, miraste desafiante a Ecuador por saber quién irá delante: Ecuador confiándote la muleta, entra al coche y se acomoda atrás, extendiendo un sarape de Saltillo. Le pasaste entonces la muleta sin ningún comentario. En eso se te cerró la puerta, de modo que la tuviste que abrir de nuevo y por fin subirte al coche, con quien amas, y con una extraña.

Al subir te diste cuenta de los árboles y de la luz y de que se oyen "Las Mañanitas", en algún lugar, y luego se fueron por las calles vacías y transformadas.

Casi no hay tráfico, por ser 16 de septiembre. Hay una larga fila de camiones de soldados. El segundo piso; Periférico. Las Torres de Satélite. Ecuador va mirando los rostros de los pocos otros que están despiertos: el franelero, el chofer de pesero, el policía de tránsito, la gente a medias dormida en sus interminables caminos, niños de la calle, las mujeres prendiendo anafres en las esquinas donde se venden tamales, los edificios feos, los postes, los expendios de jugos, los lugares cuidados, la salida, la bandera de México, más soldados y sus rostros otra vez. Puentes, postes, tráilers, cerros, ciudades perdidas, canchas de futbol vacías, polvo, cielo. Es ella quien rompe el silencio.

–Por fin salimos. No sé cómo podemos vivir allí dentro.

La primera vez que le dirigiste directamente la palabra a Ecuador, Pato, y lo hiciste para medio regañarla.

–No vaya a resultar que eso es lo único que tenemos.

Pasan por un campo, descuidado, pero campo al fin. Ecuador lo mira y luego mira a Andrés, y después se ríe, nomás porque sí, nada más por la alegría de estar vivo, y salir de viaje. Pero tú, Pato, siempre creíste que Ecuador se había reído de ti. Y no tenías razón.

9. *Y EN LAS RUINAS HIEDRA*

Antes de llegar a San Juan del Río, camino de Querétaro, la ciudad triste de México, hay una zona, que es como "la zona" de *Stalker* de Tarkovski. Bueno, casi. Como las desolaciones aun así humanas, de Wenders. Hay una gasolinera. Tráileres. Sol sobre una extensión de nada. Un diner abandonado, verde, cincuentero, con un arco de esos de concreto como de San Luis (Misuri, no Potosí). Y, enfrente, sobre el asfalto color arenque, otro, más modestito, pero abierto y anaranjado. Está cubierto de vidrios polarizados. A Andrés y a ti, que lo vivieron como niños, esos vidrios les recuerdan tanto a López Portillo. Comen sendas tortas y platican. Tú nadamás bebiste un refresco, una *Yoli* y asentías cuando Andrés asentía. Esto hasta que Andrés tomó su cámara en la mano y comenzó a filmar a Ecuador. Apenas viste esto David y te alejaste para pagar, tan enojado, que mejor luego te saliste y te estuviste viendo unas humildes yerbecillas en el camellón sucio y maltratado.

10. *CUANDO MIRO EL AZUL HORIZONTE*

Esos cerros de México. Esas carreteras hacia el Norte, tan parejas. Hay un mapa extendido sobre las piernas de Andrés. Eras tú, David, quien manejaba. Andrés tiene su cámara al lado... Todo era perfecto, pensabas, Pato.

De pronto mira junto a sí (sí que es chiquito este coche) el pelo despeinado de Ecuador; despertándose.

–¿Me regala alguien un cigarro?

Andrés toma la cámara, la acciona.

–Sólo si me dices dónde estamos...

11. *MIENTRAS LA CIENCIA A DESCUBRIR NO ALCANCE*

Les anocheció entrando a Matehuala, y por eso tal vez no encontraron el hotel que buscaban (uno que era de una amiga de la mamá de Andrés) sino esta como caballeriza de mármoles y de concreto, iluminada de neón, con unas de sus paredes pintadas de dos colores, arriba y abajo, como si fuera una pensión de autos. Y el mármol colocado alrededor de las escaleras y el elevador. A pesar del neón, se ve que está todo un poquito avejentado, descascarado. Hay unas plantas mustias en unos macetones dorados.

–Nos vemos al rato chicos...

Ecuador se aleja, cojeando. Luces que cintilan. Y se medio apagan. Se prenden de nuevo, para finalmente irse. Truena un transformador. Es un apagón; y el cielo es lo único que queda iluminado. Andrés fue por Ecuador.

–Ecuador... Aquí estoy...

–No quisiera dormir sola.

–Yo tampoco, reina, pensabas, Pato, mientras prendías un encendedor que duró prendido hasta que la flamita te quemó el dedo. Andrés prendió un cerillo, y, con él, un cigarro.

–¡Qué raro hotel, verdad! ¿Y si no vuelve la luz?

Con esa parsimoniosa manera con la que los varones tratan a las mujeres cuando dicen algo que es territorio de varones, como los apagones eléctricos o la marcha de un motor, así le contestaste, Pato, a Ecuador:

–Qué va a volver, si se oyó el tronido...

–Dejemos las cosas. Luego podríamos salir a ver las estrellas, dijo, sonriendo, *unaware*, Andrés.

Al mismo tiempo Pato, tú y Ecuador se dirigieron a Andrés, diciendo:

–¿Me regalas un cigarro?

Ecuador se rió. Y tú creíste en ese momento descubrir que odiabas su risa. Andrés los miró a ambos, los ojos ya habituados a la falta de luz artificial. Suspiró, y sacó sus cigarros. Y tú, David, encendiste tu lighter de nuevo.

Luego subieron a la azotea a ver las estrellas, arracimadas en lo alto de la bóveda. Aulló un coyote por ái; también se oía un radio con una canción explícita y popular: "Gasolina". Luego calló. Bebieron los tres de tu anforita.

Y Andrés, como otras veces en que estaba de muy buenas, te cantó:

Mi honda es la de David,
la de David es mi honda.

que quién sabe por qué le salió casi tierna, aunque luego se rió con esa risa cínica que a veces ostentaba. Tú digerías, como siempre, con lentitud ("pobre Roma", dice Suetonio que dijo Augusto en su lecho de muerte, refiriéndose a Tiberio, "en manos de un hombre que mastica tan despacio").

Andrés, en cambio, le dijo a Ecuador, desentendiéndose de ti con prodigiosa rapidez:

–Es un verso de José Martí...

12. *LAS FUENTES DE LA VIDA*

El desierto, cerca de la Estación Wadley. ¿Cuántas veces vinimos?, pensabas Pato, manejando en el terregal. La primera vez Andrés tenía esa novia gringa, Laurie: ella era quien más había insistido en ir y luego ya se quería regresar. La segunda habías ido solo, bueno, con el "Bait" y con el "Primo", dos pescadores de Ventura. Esa había estado muy cabrona. La siguiente vez tampoco había ido Andrés, ni la siguiente en que fuiste con los teatreros de la UNAM, Héctor, Julián, el "Chale": ya estaban todos muertos. Te estremeciste y dijiste: "descansen en paz". ¡Qué fiestas hacían! ¡Qué ácidos conseguían! ¡Cómo se fumaba en las islas! Polvos de aquellos lodos...

Nada alrededor. El camino blanco. Polvo. Los cerros color cerro, pelados, viejos. Iban oyendo *Revolution* de Los Beatles, como si todo ocurriera antes de 1970; nomás que no, es hoy. Bueno, y además en 1970 apenas nacías. En eso, oíste la voz de Ecuador:

–Me dio como miedo ayer... Hiciste bien en atrancar la puerta, Pato. ¿No te molesta que te digan Pato, verdad?

"Si que es buena esta chava para interrumpir mis pensamientos" te dijiste, David, y ya le ibas a contestar cuando se oyó una sirena y apareció una patrulla magnífica, una *pick-up* nuevecita, de Potosí. Viste que hubiera Andrés apagado el toque, y luego te orillaste y frenaste. Polvo.

–¡Ah, pinche madre!,

Lo miraste, Pato, al quitarle el volumen al radio y apagar el coche. Atrás en la patrulla, policías estilo militar, de rostros como cerros.

–Quédense aquí. En serio...

Bajaste, en medio del sol y te acercaste a la patrulla.

–¿A dónde se dirigen caballeros?

–A Wadley, oficial...

Minutos después te subiste al coche de nuevo, con cara de satisfecho, poniéndote tu cachucha de los Vikingos.

–Ya está... Les dije que éramos artistas...

–¿Cuánto les diste, güey?

La patrulla los rebasa. Los saludan muy cortésmente.

–Setecientos... –dijiste, mintiéndole a Andrés (pues en realidad les diste mil varos). Luego–: ¿Listos?

Ibas a arrancar cuando Ecuador poniéndose un sombrero de palma, ranchero, nada femenino, dice:

–Yo nunca les doy nada...

–Yo siempre...

–Por eso estamos como estamos... –te reviró Ecuador.

–No, hijita, no estamos como estamos porque somos lo que somos, sino que somos como somos porque estamos como estamos.

Fue Andrés, claro, quien dijo, alegre y conciliador:

–Ya, no se peleen. ¿No se supone que no hay que comer peyote cuando se está de malas?

–Pues es que esta chava cree que está en Suiza...

–Perdón, Pato...

–Mmrrrhh... Sí, gracias, igual.

Siguieron avanzando, al lugar. Al lugar. El lugar.

Murmuraste, todavía:

–No hay que poner el carro antes que los bueyes.

Mientras Andrés había reanudado una conversación con Ecuador, conversación que habían tenido en el desayuno, cuando tú te regresaste al cuarto, a vomitar discretamente el jugo, el café, el huevo y los frijoles:

–¿Estás segura de ello?

–Sí... No es tanto ya que no pueda... tener un niño..., sino que ya no quiero tenerlo.

* * *

Allí dejaste de prestarles atención y te pusiste a pensar en *El desierto rojo.*

Acuérdate, Pato.

13. *UNA AZUCENA TRONCHADA*

El cielo del desierto. El camino que se confunde con el desierto. El coche, fulgurante, detenido. Andrés y Ecuador están a la sombra de un gran cartel deshojado, bebiendo un refresco y fumando. No te ves Pato, porque te fuiste a mear lejísimos, tan lejos y tan apartado que ya no es pudor, sino como pánico. No oíste pues, como decía Ecuador, con entereza, comprensivamente.

–¿Es raro tu amigo, no?

–¿A qué te refieres?, le dijo Andrés, súbitamente a la defensiva, súbitamente recordando a María, y los pleitos que tuvieron por culpa de David. Y Ecuador entiende.

–Digo, no a que esté perdidamente enamorado de ti... sino, sino, como que no pensarías que es capaz de hablar con unos policías... o eso de ayer de atrancar la puerta...

–En algo se parecen ustedes dos... Son sobrevivientes..., le dice Andrés, sin pensar. ¿Allí la besó por primera vez? Puede ser. Pero ella no respondió a ese beso.

14. *NO SÉ LO QUE HE SOÑADO*

Les atardece bajando del majestuoso y pelado cerro. El lomo de la montaña. El peyote. Ya han comido algún botón. Pies. Manos. Miradas. Se alargan las sombras. Ecuador. Una bolsa de peyotes. Andrés. Una cantimplora. Tú, Pato. La tierra que se chupa el agua. Un correcaminos, o un lagarto. El ojo del lagarto. Una botella de vidrio vacía. Comiste entonces un pedazo de peyote (era el quinto), con grandes gestos de asco, y atrasadamente es que te diste cuenta de que Andrés te estaba filmando.

–¿Dónde estamos, Pato?

Y primero ibas a decir que ya no te estuvieran chingando, pero en lugar de eso habló el verde peyote por ti:

–Aquí, en Hikurí...

Así dijiste antes de dar un traspié e ir a dar cuan largo eres al terregal. No te quejaste, sin embargo, porque al levantarte creíste ver una figura dorada con una lámpara en la mano, una de esas figuras que había en las casonas viejas de la calle de Londres, o de Hamburgo, al pie de las escaleras; figuras de hermosos torsos de bronce, antes de que allí ya no hubiera casas, ni jardines, ni decoro, ni misas secretas, sino lo que hay ahora. Andrés está descamisado. ¿Cuánto tiempo ha pasado?

–Aquí, en la eternidad...

Luego caminaron y caminaron hacia El Quemado, recogiendo peyotes, cargando el agua y las cosas hasta que Andrés decidió montar un campamento en la ladera del montañón. Luego los tres estuvieron horas en distintas posiciones, riendo, o exaltándose por dentro frente a una única fogatita, que crepita. Había botones de peyote en una bolsa abierta. Había machaca y limones abandonados en un plato, y naranjas y unas botellas de agua. Todo eso lo había comprado Ecuador en Wadley. ¿Luego? ¿Quién dijo?

–El peyote tiene dibujada la Osa Mayor en su lomo...

Luego, ¿quién?

–¿Ves lo que yo veo...?

Luego tú y Andrés y Ecuador se vieron como espacio lleno de estrellas en un cuarto blanco, como del corto *El hombre perfecto* del danés Leth. De pronto, otra vez la montaña y su sombra. Y Andrés como un gigante. Tan grande como las montañas, poderoso.

* * *

Lo mirabas, David, con grandes ojos azorados... y hasta intentaste hacerte más pequeño, para que no te aplastaran allí mismo. Y Andrés te sonríe y te abraza.

Luego... Animales corren por el desierto, o reptan por el desierto, o lo sobrevuelan. Y de pronto todo se detuvo. Espinas. Piedrones. Coronas. Espinas. Y ese pájaro que clava a las ardillas agonizantes en los espinones de los árboles de espinas.

Y luego una gran fogata, y aún es de noche, pero un ligerísimo azul teñido de amarillo casi casi respira detrás de la sólida obscuridad de la montaña. Hacía mucho frío. Y fue el frío o el peyote el que los mantuvo despiertos. Los tres estaban muy cerca, pero no dejaste de notar que una sola cobija arropaba los hombros de Andrés y de Ecuador.

–¿Alguien quiere un café? Qué frío hace de veras... –dijo ella.

–Por favor... –dijo Andrés, con voz pastosa y cansada.

–Sí, por favor...

Luego una botella de agua y una cafetera de peltre.

–Esa cafetera parece como en el viaje, lo de las estrellas...

–¿Todavía estás allá?

–No, ya no... –te contestó Andrés. Ya bajamos... Pero estuvo poca madre, ¿no?

En eso Ecuador puso la cafetera junto a las brasas. Chispas. Humo. Casi un revire. Y de nuevo todo en su sitio. Va amaneciendo.

–Estuvo increíble...

–De veras, te veía como un gigante...

¿No estaba halagado Andrés de que lo hubieras visto así? ¿o estaría pensando en si acaso estabas diciendo la verdad o te lo habrías inventado? Y luego Ecuador, y otra vez te esfumaste.

–Tengo que decirles algo. Va a sonar medio raro. O a lo mejor todavía estoy arriba. Pero de veras que me curé del pie por completo... Ya no me duele... Y, ¿estuvimos corriendo, no?

–Es verdad.

–Hay cosas de las que nunca podré curarme...

Y entonces la miraste, por primera vez desde que comenzó el viaje, conmiserativamente.

Y luego vino aquello, el plan, la aventura, el ímpetu.

–¿Entonces? ¿Qué dicen? ¿Seguimos en ello?

–Yo por mí... ya sabes que soy materia dispuesta...

En realidad Ecuador lo decidió todo, al decir:

–Está bien. Nunca he ido a Nueva York...

–¿Nunca has ido a Nueva York?, preguntaste, comenzando a afilar el puñal de tu ironía. El sol ya quemaba.

–No, nunca.

–No se hable más, vámonos.

–Vamos.

–¿Así nadamás?

–Por algo somos mexicanos... –dijo Andrés, heroico. Encendieron el Mercedes y ruidosamente tomaron el camino.

15. *En la noche pasada*

Estás en un restaurante de Saltillo, de esos en los que el aire acondicionado es el ambiente del lugar, hacia las cuatro de la tarde y hay televisiones encendidas. De hecho todo está encendido: el "clima", los refris, las teles, un radio en la cocina, las estufas, la luz.

Sobre la mesa, dos sobres blancos y cuadrados de Fedex. Aún no llega la comida; tan sólo están bebiendo; tú, Pato, un martini, Andrés de una botella de cerveza perlada, Ecuador, coahuilense al fin, un café. Andrés miraba el pasaporte de Ecuador, y ve una visa cuyo escudo le resulta familiar desde que, cuando niño, coleccionaba timbres. Otra águila más.

–¿Fuiste a Venezuela?

–¿Tú no crees que me detengan por haber ido a Venezuela, verdad?

–Claro que no... A lo más te harán varias preguntas... ¿Qué hacías allá? ¿Teatro bolivariano? –dijo Andrés, inocentemente.

–¿No te cae bien Chávez?

–A Andrés no le cae bien nadie, más que Bush, ¿no, güey?

La cara inusitada de asombro de Ecuador.

–¿De veras?

–Estoy bromeando... A ver tu pasaporte, Andrés.

Andrés se lo entrega. Es azul, no verde.

–Ay, no m... ¿Tienes pasaporte gringo?

Ecuador pone cara de solución, de "eso lo explica todo".

–Yo nunca tendría un pasaporte yanqui...

–Tengo los dos... –dijo Andrés, pero no disculpándose. Y tú, Pato:

–Ya es legal tener ambos... ¿Qué periódico lees, eh?

–*La Jornada*... –dijo Ecuador.

Meneaste la cabeza: Andrés nomás se rió.

–Es un periódico muy bien informado...

–M'hijita, *La Jornada* parece *The Bagdad Times* de antes de que tiraran a Saddam... O el *National Enquirer*: son caprichos y aguafuertes de una realidad paralela.

–No se peleen... Vamos a comer... Desde el viaje me muero de hambre... Creo que debiéramos quedarnos en Saltillo hoy...

Aparece el mesero con los cortes de carne, los jitomatitos, la salsa roja, el puré de papas, el incongruente pescado que ha pedido Ecuador.

–¿No me trae una coca?

–¿Y mañana salir hasta...?

–Pues depende; hasta Houston, Texas... No creo que llegáramos más allá. Y de hecho, no creo que lleguemos hasta Houston...

–Jiúston, como escribía don Ricardo Garibay.

–Tenemos que parar en Cuatro Ciénegas. Es increíble... Yo...

Apuraste tu martini, David, ya sin oír lo que decía Ecuador y levantas la mano buscando fatigado al camarero.

16. *TRISTE, MUY TRISTE DEBIÓ SER EL SUEÑO*

En Cuatro Ciénegas, bajo la sombra acariciadora de un único árbol, que parece doblarse en dos para guarecerlos, están, solos, Andrés y Ecuador. Cada uno bebe de una cerveza distinta. No están de buenas. Es uno de esos momentos en que el naciente amor necesita de un esfuerzo prodigioso para no quebrarse antes aún de haber florecido.

–Pero si es un asesino... Y un imbécil.

–No, no es eso.

Hace Andrés un gesto de desesperación.

–Mira... ¿Qué tanto has leído la historia de Roma?

–La verdad, no... Digo, he leído algo de Julio César...en la escuela... Cuéntame, pues...

–¿Cómo empezar? Bien. Como sabes Roma era una república rodeada de enemigos y de aliados... Desde el principio su origen era... cómo decirte... predatorio... desde que nacieron eran como un cachorro de una fiera dispuesto a morder...

–Ajá. Pero los Estados Unidos no estaban rodeados de enemigos, sino hasta hoy...

–Bueno, puede ser...

–Pues yo nomás digo que no todo es de ellos y que no pueden ir y tomar lo que pertenece a otros...

–Ecuador, así son los imperios...

–No sé por qué lo defiendes todo tanto...

–Mira, Bush es como los murciélagos. Todo mundo lo odia, pero es necesario...

–A mí más bien me parece que suenas como si tuvieras miedo Andrés...

–No, Ecuador, si no es miedo, es pánico...

–¿Y no te gustaría no tener miedo?

–¿A quién no? Pero eso es imposible. Bueno, no, imposible no, pero es muy difícil. Mira cómo están las cosas. Claro que el imperio tiene errores, algunos gravísimos, pero es parte de un proceso histórico de aglutinación provocado en parte por elementos exteriores. Sí hay un grupo inmenso que quiere destruirnos, que quiere que todo sea como ellos quieren, que nos aborrecen y harán todo lo que esté en sus manos para borrarnos o esclavizarnos a sus ideas. Yo creo que Bush comprende eso. Y por ello lo admiro.

–Ay, Andrés... –dijo Ecuador con desesperación.

El desierto. El viento frío. La belleza de México.

17. *PUES DESPIERTO LA ANGUSTIA ME DURABA*

Una señora está echando tortilla justo abajo del letrero que dice MÉXICO. La bandera. Las tortillas. Luego, la garita gris. Andrés, que ha estado muy pensativo, dijo:

–Todo ha cambiado, menos el nombre, la bandera, la señora y su comal. Pero todo lo demás es distinto...

Luego: *Welcome to the United States. Roma, Texas.* Y la exhaustiva revisión. Pero Andrés siempre había tenido licencia internacional, y seguros americanos. Y tú, David, que ni recibos de honorarios tenías; y ni qué decir Ecuador, a la que le habían robado su cartera con su credencial de elector; luego le habían ofrecido un papel en una adaptación méxico-norteamericana de una obra de Sam Shepard en Durango, Colorado, y por ello había sacado pasaporte y visa yanqui, pero ese había sido un proyecto que también se había caído.

Cortésmente los dejaron pasar. Un pastor alemán ladraba en otro carril del retén y aduana.

18. *QUE ESO SÓLO NO BASTE*

Entrando a los Estados Unidos Ecuador se persignó, ¿recuerdas? Con gran seriedad. Allí, en Roma, Texas, bajo la bandera gringa a todo lo que dan sus estrellas y sus barras contra el cielo que antes fue de los caddos y de los comanches. Iban oyendo *Fearless* de Pink Floyd, muy bajito, y la canción sonaba aún más sugerente, más soñadora.

–No sabía que eras católica...

–Sí... aunque no voy a misa... más que en Navidad...

Un silencio, pero no tenso sino de esos de cuando dicen las señoras cursis (o sensatas): "acaba de pasar un ángel, que nos llenó con sus alas de sosiego".

–Ya pasamos. Ahora David, nomás ten cuidado, no vaya a ser temporada de patos...

Ecuador había recuperado su tranquilidad nomás pasando la garita. Tal vez por eso dijo:

–A mí me gustó mucho... ¿la película, verdad?

–Estuvo buena...

–Sí, estuvo muy buena...

Silencio. El coche iba adentrándose en el pintoresco pueblo. Otra bandera: la *Lone Star*.

–¿Y París, Texas? –preguntó Ecuador.

Y Andrés, que no en balde tenía una maestría en cine norteamericano dijo, con seguridad.

–Es para otro lado...

Tú dijiste:
–Buena...
Pero no te hicieron caso.

* * *

Ibas pensando en lo que habías visto en Texas. Las grandes extensiones. El tráiler con su rótulo en letras principescas: "Hay que darle gusto al gusto... total la vida se acaba". Un *dime* en el piso de asfalto blanco. Una batalla de hormigas anaranjadas con otras negrecitas: eso ¿fue en un camellón, en un hotel, en una gasolinera, en un *mall*? Las hormigas de color naranja iban a todas luces venciendo. Es una incursión al nido vecino. De hecho, cada vez que una de las negras, que son además más pequeñas, toca a una de las naranjas (que de todas maneras son minúsculas) pareciera que ha tocado un cigarro encendido. No sólo por eso pensaste en que iban ganando unas, perdiendo las otras: las negras conservan sus caminos y se dirigen fieras y resueltas hacia las otras, que pierden pie y se precipitan por veredas desconocidas. Las Tres Banderas de Texas. (Que en realidad son seis, las *Six Flags*: la colonial española, durante poquisísimos años las flores de lis francesas; luego la mexicana, la de la Estrella Solitaria, la confederada y la de las barras y las estrellas de la Unión Americana).

Los mezquites. Los nopales; luego pastizales extensos y ordenados. "De seguro hay víboras", pensaste, mientras orinabas contra las malezas.

* * *

Un restaurante en el que comieron, sobre el *highway*; se llamaba el "Guadalajara", lugar que funciona, además, como estación del *Greyhound*: había de todo y muy bueno: licuados, aguas, chaparritas, tacos de cabeza y de suadero, chiles rellenos, huauzontles, corundas, tortas ahogadas, pollo en pipián, mole. Lo único que no se vende ni se consume *on the premises*, es alcohol, como es estación de los *Greyhound*. Desde aquí se puede ir hasta las Carolinas, y Charleston y Chatanooga hacia arriba, y hasta Durango, o San Juan del Río e Irapuato hacia el sur.

* * *

De día la vastedad; por la noche, el vacío.

19. *VAGABA EN ESE LIMBO*

–¿Tú crees entonces que debería México ser Estados Unidos?

–Pues no sé güey... Yo lo que digo es que ahorita, mientras todavía tenemos un poquito de soberanía y de gobierno, les propongamos la adhesión... Si no luego, va a ser estado por estado, y vamos a ir entrando desunidos...

–¿Y no crees que siempre habrá millones que prefiramos ser mexicanos a ser norteamericanos...?

–En cierto sentido, eso es una falacia, David. Ya somos norteamericanos. Mira a las señoras que prenden los anafres y hacen las quesadillas; sus playeras son del Pato Lucas o de *Star Wars*. Los chavos, ¿qué ven? ¿Y los niños? ¿Y...?

Haces un gesto de desabrimiento, luego bebes, Pato.

–¿Quieres?

–¿Qué es?

–Nomás es whisky...

–No, mejor no. O bueno regálame un trago... Tampoco creas que estoy ciego. Sé que si México hubiera ganado en Texas, de todas maneras hubiéramos perdido en Vietnam...

–A mí luego México me recuerda más bien a Sudáfrica, güey...

–Oye, lánzate por unas cocas o un tehuacán, ¿no?

–Bajé unas del coche.

–Y sí, el lío de Texas... Yo sé. ¿Pero qué había que hacerle, Pato? ¿Desfondar el erario? ¿Más masacres? ¿Incendiar Washington?

–¿Y recuerdas...?

–Sí, claro que me acuerdo de El Álamo. Qué tristeza que nuestra gran victoria sea una pura matazón.

20. *POR DONDE SIEMPRE VUELVEN MENOS DE LOS QUE VAN*

El *mall* de Houston, Corpus Christi, Brownsville, Mc Allen y Orlando en la Florida eran lo único que conocía Ecuador en los Estados Unidos. Y en eso era muy de su clase y de su época. El final de los años ochenta. Todo eso lo conocía bien, de haber ido siguiendo a su madre loca intentando ella a su vez seguir sus caprichos o hallar otro amor como el que había perdido para casarse con su marido, el Güero. Porque a ella le gustaban morenos, y macizos. Pero su familia lo había impedido, y a la mala, y su tío Juan había asesinado al Prieto, que fuera su amante, afuera de una cantina en Gómez Palacio y luego se había huido para Brownsville.

21. *Y ESTAS PÁGINAS SON DE ESTE HIMNO*

–Como decía tu cuate Luis, Adriano nunca vio Roma iluminada...

Caminan bajo el gran aro de Houston: todo está prendido entre los coches y los aparadores y los viejitos y los chavitos y los "de seguridad" y los turistas japoneses y mexicanos. Ecuador se adelanta a ver algo; no sé bien qué. De sopetón, Andrés te dice:

–No veo por qué te moleste que se llame Ecuador...

–Al que le molesta que se llame Ecuador es a ti, Andrés. Me cae que a veces tú eres el que eres medio retorcido, más que yo...

22. *DOMANDO EL REBELDE, MEZQUINO IDIOMA*

Iban los tres caminando por el *mall*, y Andrés, chingando, haciendo como ese personaje llamado Elmer en los bosques de caricatura:

–Pato..., pato, pato, pato, pato...

23. *SE ELEVA Y VA CRECIENDO*

En los alrededores de la Caverna Frío, en Concan, Texas, se alarga la hora vespertina. Estaban los tres están sentados en una gran piedra blanca a cierta distancia de una de las bocas de la caverna, estaban callados, esperando.

Andrés había estado filmando a Ecuador en los alrededores, pero ahora aguarda. Tú, Pato, con tu famosa gabardina verde, un tantito apartado, mirabas el cielo; los tres estaban fumando.

Más allá hay niños y familias y un guía americano, que no dice puras obviedades. Todos los niños quieren saber si los murciélagos son vampiros que chupan sangre y, cuando este hombre letrado de los campos les responde que no, la mitad de ellos pierde el interés.

Escribirías más tarde:

El cielo texano es ancho y es magnífico. Huele el monte muy fuerte a retama, a salud, al río. Grandes bandadas de golondrinas se reúnen y entran voladas a la cueva. Pasan unos minutos. Los murciélagos aparecen de pronto, en grandes bandadas que surgen de la boca de la caverna; y en verdad su número sólo los convierte en una imagen impresionante de la naturaleza: la ascendente maravilla de los miles y miles y miles de murciélagos saliendo. Ella baja la cabeza un momento hasta que de nuevo levanta la vista: huele terrible, a amoniaco. Se aleja de la boca de la cueva, y mejor se va a sentar a una piedra, parte de la ruina de una mina, que hubo aquí, una mina de guano. Siguen saliendo muchísimos murciélagos; y de pronto, aparecen unos halcones, como de Robinson Jeffers, que, con mortífera precisión, entran y salen de la bandada con una presa en sus garras. Y luego vuelven.

El gran remolino comienza a dispersarse. Es un espectáculo que incluso registran los satélites. Bueno, ya registran casi todo, pero desde antes de ser tan buenos ya miraban, ya tomaban sus notas binarias. Radares que registran radares...

* * *

Andrés filmaba, ayudado por ti, Pato. Ecuador los vió, y de pronto entendió algo que no entendía: que Andrés te quiere Pato, te quiere de a de veras, no sólo por compartir la infancia y los recuerdos, que eso es importante, sino porque confía en ti, confía en que tú seas su aliado. Y eso es demoledor.

24. *COMO VOLCÁN QUE SORDO*

–En Victoria, contarías después, dormimos en un motel al lado de la vía del tren que viene desde México y de más allá. Y como el tren tiene que reducir su velocidad para cruzar las calles de este pueblo, es allí donde se bajan los que vienen de braceros; y esa noche hubo una especie de toque de queda, tal vez una redada. Los otros ocupantes del motel: dos mujeres lesbianas, una de ellas recién salida de la cárcel; un chavillo gay y vaquero que no te hizo caso Pato; unos chavos afroamericanos que se reían del Mercedes, unos obreros de algo hidráulico, una familia que parecía huida de Nueva Orléans.

Planning to go out tonight?, decía un letrero en la única tienda que vendía cervezas tarde, un letrero que mostraba unos policías duros y güeros y con perros. *So are we*, se respondía a sí mismo.

25. *DEFORMES SILUETAS*

Las grandes refinerías de petróleo. Lloviznaba. Ecuador iba callada, mirándolo todo, asimilándolo. Dentro del coche se siente todo pegajoso. Ibas, ¿recuerdas David?, leyendo un librito sobre Charles de Foucald, quien intentó llevar el Evangelio a los tuaregs. Andrés miró tu mirada concentrada y dijo luego:

–No sé cómo puedes leer en el coche...

Miró las refinerías, luego te miró de nuevo.

–Qué ganas de fumar me dan estas madres...

–Pues yo tengo sed... creo que ando medio crudo... –dijiste.

–Tengo hambre... –terció Ecuador.

–Recuérdenme que nunca más los saque de su casa...

Se sonrieron. Las grandes refinerías de petróleo no se acaban; tubos, más tubos, respiraderos, chimeneas, chacuacos, pozos.

–Ahorita que lleguemos a Beaumont buscamos un lugar para dormir, y mañana irnos para Louisiana. Conozco un restaurant vietnamita, allá en Beaumont, increíble. Parece la secuencia cortada de...

–*Apocalipsis*...

–Me van a perdonar, chicos, pero tengo un hambre...

Mientras pensabas en una frase extraviada de Baudelaire, dijiste:

–Creo que tengo una bolsita de papas...

Al buscar las papas, encontraste un libro, y luego, al fondo de tu mochila, unos "Cazares" medio quebrados.

–Valen oro –le dijiste a Ecuador, dándoselos.

El horizonte completamente tapado por el monstruoso enjambre de ductos, tubos, tanques, flamas, brillos, escaleras, humos. Port Arthur, Texas.

–De aquí era Janis...

Ecuador necesitó de pronto ir al baño y se pararon en una especie de estacionamiento abandonado enfrente de una refinería ocupada.

–¿Y no crees que que hay una responsabilidad hacia los que aún no han nacido? ¿Que no podemos, ni debemos, gastarnos toda el agua, todo el petróleo?

–No lo sé... lo que sí sé es que tengo miedo...

–¿Miedo de que?

–No sé... Miedo de que, cuando nos demos cuenta, eso ya nos haya devorado el alma.

–En eso nos parecemos, güey.

–Sí, güey.

Y la refinería, con sus luces y sus humos, que parece que va a moverse y de veras devorarlos. Como si estuvieran en Mordor.

26. *Paisajes que aparecen*

Era en ese hotel que te recordaba el Balneario Spa Peñafiel, en Tehuacán, sólo que aquí, en Louisiana. Era de mañana, seguía lloviendo, tarareabas "Lágrimas Negras"; y dijiste:

–¡Cómo huele a petróleo!, ¿no?

Andrés tomó su cámara, y te filmó mientras arreglabas un poco desordenadamente tu maleta. La de Andrés estaba, por supuesto, lista ya.

–¿Dónde estamos Pato?

–¿Qué es? Estamos en Lake Charles... Ya llegamos a Louisiana... tierra de los aligatores...

Hiciste con tus brazos una imitación las dos mandíbulas de un aligator, acercándote a la cámara.

–¿Qué soñaste Pato?

–Güey, anoche soñé muy raro... Pero en serio... Es raro... no me acordé en el desayuno... Era de noche, y una ciudad transparente y obscura estaba siendo iluminada por relámpagos... Yo caminaba por unas calles como de la Escandón, de la Condesa luego, por el *Junior Club*. Veía, tras las paredes, innumerables familias viendo televisión con la luz apagada: sólo se veían ellos, en torno a la tele, y los destellos... En la televisión pasaban atentados... Y entonces, comenzaba la masacre... Unos seres, no del todo humanos, corrían *amok* por las calles y los edificios... E incluso transmitían la masacre, en vivo, pero la gente, en lugar de defenderse o hacer algo, seguía viendo la televisión, hasta que veía su propia muerte... Estuvo cabrón ... Bien raro...

Andrés dijo entonces, bajando y apagando la cámara:

–El que es raro eres tú, Pato.

Luego:

–Pues yo no sé muy bien qué soñé, pero me levanté pensando que, ya que me gusta tanto filmar aviones, voy a ponerme a filmar todo lo que vuele. Tomé unos pájaros allá en El Sabinal; y luego los murciélagos de la Frío Cave, increíbles.

–Y ahora me filmas a mí...

–Tú eres el que le das un poco de color local, Pato...

27. *YO ME HE ASOMADO A LAS PROFUNDAS SIMAS*

Y entonces llegaron a la devastación. Ecuador tenía un rosario en la mano, no sabemos si un rosario católico o unas cuentas budistas, e iba rezando en silencio ante los incesantes kilómetros de destrucción dejados por Katrina. Casi ni se movían, salvo Andrés, que filmaba, con lágrimas en los ojos. Y eso sólo lo notó Ecuador.

St. Bernard Parish, N.O.

Its been over a year since you left us, Mom, but we know that you are in a better place now, junto a una cruz y al retrato de una dama afroamericana, en una casa a medias demolida. Y casas pintadas con aerosol afuera, para dar cuenta de los cuerpos de los perros y de los gatos muertos. Y casas totalmente destruidas. Todo devastado, todo vacío, por cuadras y cuadras. Casas, templos, incluso gasolineras.

28. *Y MI ALMA Y MIS OJOS SE TURBARON*

Andrés quiso meterse a una de las casas destruidas por la fuerza del huracán. A ti te dio miedo, Pato, te dio muchísimo miedo. Fuiste sollozando mientras rezabas y lo seguías.

29. *Pero aquéllas que el vuelo refrenaban*

Esa noche, mientras tú ibas cazando por la calle, mirando chavos, borrachos, en el *French Quarter*, le *Vieux Carré*, un poco borracho, tus amigos estaban viendo una película en la televisión, *The Straight Story* (de David Lynch) con Sissy Spacek y Richard Farnsworth. Es una película extraordinaria, que demuestra lo que decía Antonioni: que es posible hacer más con menos. Eso siempre lo decía Andrés. Es la historia de un buen hombre quien decide ir a ver a su hermano, porque ha sufrido un ataque al corazón, vive solo y desahuciado, y tienen veinte años de no verse. Como no tiene en qué caerse muerto, este hombre arregla una podadora de pasto, le hace un furgoncito y emprende el viaje desde Lawrence, Iowa, hasta Minnesota. Es una historia real, muy conmovedora; Sissy Spacek la hace de la hija del viejo con problemas de habla y de entendimiento.

–Estaba pensando en toda esa pobre gente... –le dijo Ecuador a Andrés. Él la miró, y se sonríe. La besa. Cigarros que se consumen. Volutas de humo.

A unas cuadras tú, en la esquina de Bourbon y ¿cómo se llamaba?, ¿Bayonne?, Pato, de pronto te topaste con un jovencillo más o menos caracterizado como Elvis: se miraron, se miraron de nuevo, se entendieron; y tú lo seguiste a un callejón obscuro, a espaldas de la Catedral de San Luis, donde te arrodillaste frente a él en el lodo; se la mamaste, habiéndote manchado la cara con su esperma, al venirse fuertemente. Luego le diste cincuenta dólares. Él te besó en la mejilla, muy tierno, muy chavo, y se fue.

30. *VOLVERÁN LAS TUPIDAS MADRESELVAS*

Cómo te enojaste, Pato, a la mañana siguiente, cuando despertaste y te diste cuenta que las cosas de Andrés no estaban en su cuarto, ni él había dormido en la cama junto a la que tú ocupabas. Lo peor fue que ni tiempo tuviste de amargarte porque habían quedado de ir al cementerio de Metairie. Apenas te duchabas, descubriste lo que tú habías hecho la noche anterior, y te vestiste lleno de culpa.

Afuera, en la calle, llovía. Viste un aligator, por así llamarle, con arete de pirata y ojos intrigantes; y un mesero afroamericano, dulce y gay, y un chavo que repartía cervezas en bicicleta, duro y mamado.

El cementerio está ya limpio y renovado, pues cuando pasó Katrina, todo era agua, y lodo y ramas. Fueron caminando por entre las tumbas, las estatuas, los pináculos y chapiteles del camposanto; Ecuador vestida de blanco, con elegantes sandalias, y en sus manos un ramito de flores blancas y amarillas. Mientras caminaba un poquito adelantada respecto de sus dos compañeros pensaste en cómo se parecía a María, sobre todo por ese gesto tan ritual de haber querido traer flores como en memoria de la gente muerta por Katrina (*The one we feared*), cuyas secuelas tanto la impresionaron. Notaste la paz y el silencio y el decaimiento, y luego, que Andrés ya no traía su anillo. Andrés te dijo, tomando aire para romper el silencio y, sin embargo, hablando bajito:

–Pero hay como una crispación en el aire.... No aquí, sino que como que en todos lados...

–Es que... Creo que sé lo que vas a decir. Nos pasó en ese cementerio en Winchester... ¿te acuerdas? Que los dos sentimos...

–El Juicio Final...

–Es curioso. Hay días en que pienso en ello todo el día...

–Yo también, man...

–Oye, ¿no vamos mejor allí a la sombrita?

–¿Te entró la cruda?

–Ya ves que por más que bebo, no me entra nada...

Llegaron luego los dos bajo la sombra de un magnífico árbol y Andrés lo tocó como si pudiera sentir el ritmo de su savia, con un gesto de gran concentración.

–Vas a decir que estoy loco, pero ahorita lo siento muy fuerte... Como si en cualquier momento pudiera sonar la trompeta del Ángel y, mientras los vivos se llenan de pavor, las tumbas y los mausoleos se abren, y sale gente completamente sosegada, herida de ultranaturalidad, que no es que tranquilice a nadie eso... Va a ser un día terrible, el día al que ya no le sigue la noche... lo imagino a veces tan fuerte...

–Cómo me gustaría tener tu fe... –te había dicho Andrés, tosiendo muy fuerte.

De pronto se oyó "Jerusalem" de Mahalia Jackson. Otro signo. ¿Era un altoparlante, una procesión, un entierro que se acercaba tal vez? *Walk in Jerusalem, talk in Jerusalem, be in Jerusalem*... Era un *film*... Era un *crew* de cine...

Te fijaste en Ecuador arrodillada, rezando un Ave María. La sensación de algo sobrenatural fue tan fuerte, que te tuviste que sentar, casi a punto de desmayarte.

¿Y luego? Fueron a comer, *catfish*, (tú ibas verde, Pato) y Andrés estaba de un humor extraordinario, y se fueron a un *joint*, y se salieron y luego encontraron un bar nada feo, y allí oyeron muchas melodías, y tú no ibas a beber, pero bebiste muchísimo y al final nomás te acordaste de esa canción tan simpática, *I'm Gonna Move To The Outskirts of Town* en la versión de Ruth Brown y Bonnie Raitt; *Somebody with your history... I know you know... I've seen what you do girl...You better move... I think I better move waaayy to the outskirts of town... It may seem funny Babe...Nothing is funny...Somewhere they can't find you... Oh, that place doesn't exist anymore...* y te diste cuenta que tus amigos beben una cerveza común, casi juntos, y fuman del mismo cigarro.

31. *¡ALGUNO QUE YO QUERÍA HA MUERTO!*

The Times-Picayune
50 CENTS 170th year No. 271
THURSDAY, OCTOBER 19
NEW ORLEANS EDITION

BOYFRIEND CUT UP CORPSE, COOKED IT
Katrina survivalist's descent into madness
By Walt Philbin, Steve Ritea and Trymaine Lee,
Staff Writers

Killer's suicide note leads cops to grisly scene
By Walt Philbin and Laura Maggi, Staff Writers

32. *DE TU JARDÍN LAS TAPIAS A ESCALAR*

Verjas deshebradas. Barcos desfondados y arrojados a tierra. Ruinas de puentes. Pantanos.

Andrés:

–Estos nombres tan hermosos: Pontchartrain, Plaquemine, Decatur, Delacroix, Baton Rouge...

33. *PERO MUDO Y ABSORTO Y DE RODILLAS*

Y luego los viste, en el bancal de ese riachuelo, por Biloxi, él de pie, vestido tan sólo con unos shorts, apretados, de esos que tienen un amarre, con su cámara en la mano y ella, vestida con su vestido blanco, sentada frente a él, sin hacer nada. ¿En qué película de Oshima salía esa escena de una tensión sexual irreprimible? Te la habías hecho pensando en ello; ahora lo habías visto.

Tuviste que irte, mientras tu corazón te golpeaba enardeciéndose.

II. COUNTRY

I will plant companionship thick as trees...
Walt Whitman, *A Song*

34. *VUELVA EL ANTIGUO ENTUSIASMO*

Más allá de Montgomery, Alabama, idílicos parajes, en una carretera rural por la que pasan camiones de escuela amarillos, comenzaste a llorar, David, según tú en silencio. Iban oyendo, apropiadamente, *The Spy* de Los Doors ("Las Puertas, maestro", como decían en aquel olvidado ya *Hip 70*, sobre Insurgentes, cuando todavía todo estaba prohibido). Llegaban a una colina poco arbolada cuya falda blanquean las lápidas y mausoleos de un viejo cementerio; bebiste de tu anforita y luego sollozaste y luego te sonaste la nariz.

–¿Te dio gripa man?

–No.

–¿Se puso *heavy*, entonces? –te preguntó Andrés, volteándote a ver.

–Eso.

–Donde veas una tiendita o una gasolinera párate por unas cervezas –te dijo Andrés a Ecuador, que iba manejando.

Ella asintió. Fue entonces que Andrés se dio cuenta que estaba perdidamente enamorado de ella, aunque no quisiera aún aceptarlo. Extrañamente tú, Pato, también te diste cuenta de lo mismo. Dejaste de llorar. Un momento después, cuidadosamente, que es como Ecuador maneja, salió de la carretera para pararse enfrente de una *gas station.* Toodlums, en Coosa County, Alabama. Afuera hay gasolina y diésel; dentro, bajo disecadas cabezas de ciervos, un letrero y mucha cortesía. *Hunters, Fishermen and other Lyars gather here.* Ruido de piedritas y llantas.

–Yo voy –dijo Ecuador.

–Yo voy contigo –dijo Andrés.

–Yo los espero. Nomás no vayan a traer *Bud Light*, o alguna mamada así.

–Nomás pórtate bien, ¿no hermanito?

Cuando salen, por fin, riendo, van agarrados de la mano. El sol sale de una nube e, intolerablemente, los ilumina. Sentiste David, por primera vez, que mejor hubieras hecho quedándote en México.

35. *VUELVA EL ESPÍRITU ARDIENTE*

En otro bellísimo camino rural en Alabama, muy de mañana, iba Ecuador manejando, oyendo la canción de *Personal Jesus*, con Johnnie Cash (la escribió un Gore; *They are all believers*, dice Vidal). Parecía preocupada; tal vez entendiendo por primera vez esta canción que es difícil de desentrañar aunque no lo parezca. Porque o es tan sólo lo que dice, o dice algo más.

Your own personal Jesus
Someone to hear your prayers
Someone who cares...

...flesh and bone, by the telephone
Lift up the receiver, I'll make you a believer...

...things on your chest, you need to confess,
I will deliver, you know I am a forgiver...

Tú ibas junto a ella, no de muy buenas, ignorándola, con un mapa doblado en las rodillas, y una coca-cola en la mano. Tal vez a ti te molestaba el tono no comunitario, no católico, de la canción, pero igual siempre te había impresionado, desde que, de adolescente, la escucharas por primera vez, en el disco *Violator* de Depeche Mode. O tal vez te molestaba que ese pobre imbécil que se hacía llamar Marilyn Manson la cantara. O tal vez, simplemente, que Andrés fuera dormido.

Así iba Andrés, plácido, cubierto con un sarape. En los árboles translúcidos se filtraban los reflejos de sol. De pronto, una víbora en el camino. Tú la viste David, y algo ibas a decir, cuando al verla, Ecuador ejecutó una rara maniobra dizque para salvar a la culebra, pero igual la tronchó en dos la rueda; y luego se salieron del camino, frenando a duras penas en un como pastizal.

–¿Qué pasó? –preguntó Andrés.

–Que por no atropellar una culebra Ecuador casi nos mata.

–¿Estás bien, Ecuador? ¿Pato?

Ambos asintieron. Ecuador se puso a llorar. Tú mejor te bajaste del coche mientras Andrés abrazaba a Ecuador diciéndole:

–Pero no pasó nada... Calma...

Te fuiste a ver el cuerpo cortado, y allí te estuviste, en cuclillas, fumando; te paraste y fuiste en busca de un palo, y al regresar levantaste la serpiente en triunfo. Era negra plomo, larga. Y entonces Ecuador se te acercó, y te quitó el palo y fue a echar los trozos de víbora a la cuneta. Te enojaste, claro. Tardaron todavía un poco más en continuar. No supiste que Andrés llegó a pensar en decirte, Pato, que tan sólo podrías acompañarlos hasta Washington, pero que desechó la idea, porque le diste pena. En la gran gasolinera negra y roja cargaron combustible: tú compraste, además, papitas, salsa de chile nayarita, carne seca, coca-colas, un *expresso* frío para Andrés, postales, un llavero, pura nada.

Más tarde se detuvieron en Sycalauga, en un *lodge*, un lugar de pura madera, con un bar increíble: el aparador de atrás estaba lleno de *memorabilia* norteamericana: bisontes, indios, caballos, vaqueros, boxeadores, *pin-up girls*, *corebacks*, anuncios, *marines*, presidentes, estrellas, una fotografía autografiada de Hitchcock en el set de *Los pájaros*, y claro, fotografías de niños y familias jugando, o riendo. Y más jóvenes, jovencísimos, con uniforme y la bandera atrás. Allí se alojaron.

36. *QUE LA ALTA MINERVA DECORA*

Iban caminando por el iluminado de oro y bronce Partenón de Nashville, única réplica entera del afamado templo ateniense, hecho para una decimonónica exposición universal, o para un centenario o algo. Alrededor, un equipo de playeras grises y *shorts* rojos, entrena, dando vueltas. Andrés y Ecuador iban tomados de la mano; tú un poco atrás. Entonces Ecuador le dijo a Andrés.

–Comienzo a pensar que tienes cierta razón, Andrés, y que sí son como romanos...

Se sonríen el uno al otro. Tú, pretendiendo estar absorto en sus propios pensamientos, prendiste un cigarro y pensaste "pero si el Partenón es griego". Las columnas. La bandera. Volvieron los atletas a pasar en tropel.

37. *Saluda al sol, araña, no seas rencorosa*

Hay esa calle en Nashville, donde ha grabado discos todo mundo. Tiendas vaqueras, tiendas de música, lugares de *lore* y de *folk*. Esa mañana Andrés llevaba su cámara; tú, Pato, un libro que Andrés te había regalado alguna vez en Nueva York, de William Carlos Williams, Ecuador su sonrisa inmaculada. Un señor sin hogar, arrastrando su cobija, la vio y le preguntó (refiriéndose a sus dientes inmaculados):

–*Are they real*?

Abriendo una cajetilla de *Marlboro Lights*, y cerrándole el paso al hombre sin techo, dijiste, Pato:

–¿Quieren un cigarro?

–¿No te dijimos? Ya no fumamos...

–Ni creas que es por parecer gringos, sino que... no sé... para estar mejor...

–Güey, llevo fumando desde los trece años... Ya estuvo, ¿no?

–Creo que me voy a ir a tomar un trago largo... Ese lugar de allá se ve bueno (un *joint* morado y bluesero).

–Nosotros queríamos pasear... –dijo Ecuador, y Andrés asintió.

–Pues paséense... Yo voy por ese trago...

Le diste un cigarro a Franco, el hombre sin techo, que seguía hablando, de guerras imperiales que le habían traído tristes secuelas. Luego, como no te dejaba, le diste tres dólares, que es lo mínimo que te aceptan casi todos.

Al entrar, solo, enfurecido, al *joint* famoso y vacío, la mesera accionó una rockola y se oye *Mess Around* de Ray Charles. *Performed by The Animals*. Te sonríe; tú contestas su sonrisa, y pediste un *bourbon*, sin hielo.

–*Straight?*

David, confiesa que te sonreíste para tus adentros. Entraron en eso un montón de viejitos, de un *tour*, fueron al baño, se bebieron un *shot* de *bourbon* o un refresco o una cerveza, pagaron y se fueron. Otro parroquiano, al que hasta entonces no habías visto, te observa. Le devolviste la mirada y te diste cuenta que el otro, aunque no es guapo, es gay. Mejor pagaste, y te fuiste a otro lugar; no tenías ganas de ligar, ni de platicar, ni de ser reconocido, ni de nada, sino de beber.

Más tarde, aún se vieron. Ibas deambulando por los *saloons* hasta recaer en el *Sports bar* cercano al hotel de la alberca en forma de guitarra que está enfrente del gran estadio gótico.

–Es raro Andrés...

–¿El qué?

–Pues que soy bastante borracho, muy drogado; como hubiera dicho el príncipe Bolkonski, el padre, un libertino... y sin embargo...

–Y sin embargo sientes el llamado a algo... a la santidad... tal vez... yo también lo he sentido, pero lo he visto muy fuerte en ti... güey... Yo antes era más intenso que tú, pero de un tiempo a esta parte...

–No te creo nada... Siempre has sido medio fresa... Güey... Andrés, gracias por dejarme venir...

Y luego:

–¿Ustedes dos andan, no?

Andrés se lo queda mirando y nada más le dice:

–No vayas a decir nada...

–¿Y qué vas a hacer con María?

–María ya hizo lo que quiso conmigo, David...

–Todo...

–Güey, yo sé que tú crees que tu vida sería ideal y perfecta y feliz con tan sólo que yo hubiera sido maricón, pero, ¿y si no me hubieras gustado? ¿Y si anduviera yo con otro cabrón en lugar de gustarme las viejas, qué dirías? ¿Cómo sería tu vida? *Count your blessings*, güey, en serio.

Andrés comenzó a toser, fuerte, apuró su trago, te dio una palmada afectuosa en el hombro y salió del bar rumbo al hotel.

38. *ÚNANSE, BRILLEN, SECÚNDENSE*

Estabas terminando de ponerte una corbata frente a un espejo cuando Ecuador entró. Viene de la alberca en forma de guitarra, donde nada Andrés. Siempre ha tomado muy en serio su cuerpo, pensaste. Estabas de malas otra vez, por ver a tu amigo semidesnudo. Cómo te gusta.

–Hace un calor... –dijo Ecuador, mirándote, secándose el pelo–. ¿A dónde tan elegante?

–Es domingo. Vine a pedirle a Andrés su peine...

–¿Vas a ir a misa? ¿Puedo acompañarte?

–Si quieres... Pero yo ya me voy... Odio llegar tarde...

En realidad David, no querías confesarle a Ecuador que no pensabas ir, por un domingo, a una iglesia católica, sino que querías ir a un templo bautista, un templo afroamericano, un lugar donde tuvieran un testimonio distinto de la experiencia de la fe. No era curiosidad, David, sino ganas de palpar, de entrar al misterio, de verlo todo con esa alegría afroamericana nacida del sufrimiento que a ti te parecía como de las comunidades paleocristianas en Corinto, en Tesalónica o en Roma.

Pero el caso fue que Ecuador se apuró. Y tuviste que esperarla, y fueron en el Mercedes a una misa muy bonita, en el centro de Nashville, en español, llena de trabajadores de la pizca, muy fervientes y con un excelente predicador, un irlandés rojizo que hablaba castilla con acento español. De España.

39. *De dolor y amor, líbranos Señor*

¿Te acuerdas, Pato, cómo tuviste que frenarte en esa hermosa carretera en los Montes Apalaches? Había una cierva muerta, atropellada, en la carretera cortada entre los piedrones negros y violetas. De inmediato te acordaste de Ernesto, en *Balún-Canán*, donde las estrellas y la palabra robadas. "Que no tenga el ojo nublado", rogaste. Recuerda.

Andrés también despertó asustado. Frenaste peor que Ecuador. Para tu suerte no hay nadie más alrededor. Se acercaron juntos al cuerpo. Al tocarle el cuello dijiste, Pato:

–Todavía está caliente...

Y Ecuador, en voz que salió primero clara, y luego temblorosa:

–¿Pero estás seguro que está...?

–Tan muerta como un pato muerto.

De lo que Andrés se había acordado era de aquella película de Lynch, la que vieron en Nueva Orleans.

–Parece raro... Acabamos de ver una película, con Sissy Spacek, *The Straight Story*...

–Es verdad. Hay una señora que atropella un venado, y sale histérica del coche, porque tiene que tomar ese camino todos los días, y lleva trece venados atropellados...

–Y el viejo la oye, y luego ella se va, y él la deja ir, y luego, pues destaza al venado, se lo come y en su remolquito coloca las astas, como si fuera un jefe celta...

–¿No estarás proponiendo que lo destacemos?

–No sé si me atreviera güey...

Y en eso Ecuador, casi apenada:

–Yo lo sé hacer... Nomás se necesita un cuchillo de monte, y se hace así...

Pero no la dejaron hacerlo, ¿recuerdas?, sino que se siguieron, asegurándose de que no hubiera moros por la costa, dos jóvenes adultos de ciudad, de pronto deslumbrados por la fuerza de una mujer de campo (ellos no lo sabían: a su bisabuela Domitila, digo, por poner un ejemplo, la habían robado los comanches; cuando por fin pudo regresar de la Comanchería se casó con don Juan Saavedra, que siempre había estado enamorado de ella, pero no volvió a pronunciar una sola palabra, nunca, sino hasta en su lecho de agonía; su tía Juana Inés había sido la primera en acercarse al cadáver acribillado de Pancho Villa, reclinado en su *Dodge*, allá en Parral, y humedecer su pañuelo de batista en la sangre del caudillo).

40. *O VERSO DE WALT WHITMAN*

Andrés dijo, de pronto, en la noche, manejando:

–Van a ver... es una de las ciudades más bonitas del mundo... Es como si fuera México...

Van llegando a la pulcra capital erigida en los pantanos. Arlington. Hace frío. Van cansados. Los rodea de pronto el cementerio militar, y ellos lo rodean. Luego se equivocan, pero sale bien, porque entran por el puente que da a la carretera que de pronto se hace una avenida entre los magníficos monumentos.

–¿Como México?

–Sí, el México como debía haber sido México, ese México que ya no es: una ciudad hermosa y que puedes caminar, cuyos parques están cuidados, donde todo mundo se conoce, aunque sea de oídas, donde el crimen no se ha enseñoreado de todo, ni mancha el *graffiti* todas las cosas. *Anyway*, esta ciudad está poca madre... aunque esté fundada en sangre... todas están fundadas en sangre...

41. *ERES SOBERBIO Y FUERTE EJEMPLAR DE TU RAZA*

Estabas feliz en Washington, perdido en la contemplación del armonioso y fuerte tártaro que sirve con maestría los tragos en ese lugar medio escondido de cerca del Dupont Circle, en la ciudad de los generales, los almirantes, los políticos, los esclavos, los libres, los soldados, los motines, los amenazantes, los amenazados, los intrigantes, los pantanos, "el glamour del Norte y la laboriosidad del Sur", como escribió Gore Vidal, citando un proverbio de Capitol Hill, donde ha servido mucha de su familia.

En esa ciudad, ese hombre era, tal vez, según la definición de Eisenstein, y según las firmísimas ideas que siempre has tenido, Pato, acerca de cómo es y qué significa la belleza masculina, el hombre más guapo de todos.

42. *Y DEL AMOR QUE MANAS*

Andrés había conocido *Kramer Books* por su amigo Jacobo, cuando éste estudiaba en Virginia el *high school*. Desde aquella época (los campeonatos de *tae kwon do* eran lo que parecía más lejano, con su madre y su nana poniéndole su primer uniforme, a los siete años; y allí, en el *dojo*, era que había conocido a Jacobo) era esa librería de Dupont Circle una de sus favoritas, de cualquier parte del mundo, junto con tal vez, *Kinokuniya*, en Nueva York, y esa librería chiquita de Broadway, que no se acordaba de cómo se llamaba, y esa otra librería de viejo cerca del Museo del Prado. Y esa otra librería de viejo en High Street, en Oxford, casi frente al *pub* de los remeros y la impresionante *Blackwells*. Era pequeña, era selecta; cerca había un restaurante griego y uno malayo muy económicos y ricos, y una cuadra para allá esa peluquería carísima y que olía a Roma. Pero el centro de todo era Kramer; allí compró el libro de poemas de Morrison, y ese libro de Sam Peckinpah, y ese otro, sobre el dolor de los otros, de Susan Sontag y el Andy Warhol, *America*; los libros del British Film Institute y los de Faber & Faber. Quería enseñársela a Ecuador. Entraron, caminando entre los libros.

Hojearon las muchas, las demasiadas novedades. Que si el Congo belga, que si los transgénicos, que si la rebelión de las masas. Ecuador se compró una revista, un *Vanity Fair* o un *New Yorker* me parece que pueden haber sido y se fue a sentar a tomar un café. Se veía cansada. Andrés había tomado un atlas de esos *Rand Mc Nally* cuando notó la fatiga de Ecuador y te buscó y te dio el libro de mapas.

–Oye, cómprate este atlas de los Estados Unidos... Luego te lo pago. Te espero en la mesa...

–Mejor un trago, ¿no? Vi por *internet* este hotelito elegantísimo como a ocho cuadras... Y hay un antro gay que vale la pena, según leo.

–¿Te informas, verdad? Pero no, güey, en serio que estoy muerto... Mejor un café, y vamos al cine, y pues ya... *we'll call it a day...*

–O vamos al lounge... por favor.

–¿Te gustó ese güey, verdad? Estaba guapo... Pero vamos a llevarla leve...

43. *Los Estados Unidos son potentes y grandes*

Al día siguiente fueron a la National Gallery. Andrés los llevó a ver sus cuadros favoritos: los pájaros de Audubon, la Venecia blanca de Turner y los boxeadores musculosos y ensangrentados de ese pintor gringo de principios del siglo XX, ¿Bellamy se llama? Le dan terror.

Al salir Ecuador les propuso comprarse un *hot-dog*; ustedes la siguieron. Pidieron *hot-dogs*, agua, coca-colas. La señora china que atiende les sonrió mucho, y les preguntó que de dónde eran, y se queda muy extrañada cuando los tres le dijeron: *Mexico*. El sol brillaba. Había turistas y policías. Comenzaron a caminar hacia el Museo del Indio Americano. Pasaron frente al Capitolio.

–No sé por qué cada vez que paso enfrente siento deseos de persignarme... –dijo Andrés.

–¿Cuántas veces has venido?

–Muchas. Desde niño venía con mi papá; él era muy amigo de uno que era el embajador entonces... y tenía negocios aquí. Era importador de maquinaria para el campo. *John Deere* y eso.

Siguieron su camino, terminándose sus hot-dogs.

–¿Tú le ibas a los Jefes, verdad, Andrés?

–Todavía les voy... y tú le ibas a los Vikingos..., luego le fuiste a los Vaqueros, y a los Delfines, y le fuiste a los Petroleros de Houston, man... de veras...

–Según cambiaba el *coreback*...

–... aunque de seguro ahora le vas a los Patriotas...

Ecuador te miró con simpatía.

–¿Le atinó Andrés?

–Sí.

De pronto, Pato, sentiste que necesitabas decir algo para no sentirte tan nervioso de pronto, quién sabe por qué.

–Déjame decirte que el día que entendí el americano, algo sí se iluminó en mí, algo crecí. ¿Quieres que te explique cómo es el juego, Ecuador? Mira, hay un güey guapísimo, increíble, como un delfincito al que toda su banda, de hombres gigantescos y fornidos, adora; y éstos tienen que protegerlo del ataque de una banda enemiga, que quieren troncharselo y proteger a su propio príncipe. Ah, y además, hay una pelota, que en realidad, es una especie de rombo, y puntos y goles, pero eso, en realidad, no importa. Lo que importa es el güey más guapo...

–Pinche David... Estás grueso.

–Bueno, denme la basura, para tirarla, fumarme un cigarro, y entrar. O si quieren entrar antes, los alcanzo.

–Okey. Eso haremos...

Pero no los alcanzaste; caminaste más bien hacia la Casa Blanca y te fuiste a sentar al Old Ebbitt Grill, donde estuviste dibujando las cabezas de los animales cazados y disecados (una morsa que parecía una llanta vieja, unas gacelas tímidas, un facocero) mientras oías a tu alrededor el habla de Washington: submarinos, apropiaciones, millones, audiencias, oidores, sistemas, seguridades.

44. *CON UN ALGO DE WASHINGTON Y CUATRO DE NEMROD*

–No me vayas a filmar frente a la Casa Blanca... Me da miedo..., le dijo Ecuador a Andrés al ver a los *marines* de gala, en posición de firmes. Y Andrés no lo hizo.

Tú, esa noche, Pato, te fuiste con tus amigos mexicanos de Washington; iban caminando por Adams Morgan, luego de cenar salvadoreño, buscando un bar, e ibas tarareando esa canción:

Árboles de la barranca,
por qué no han enverdecido;
es que no los han regado
con agua del río florido...

Ya me voy pa' la barranca,
a sembrar surcos de arroz,
yo te enseñaré, chamaco,
como se mancuernan dos...

(Versión de Lila Downs;
la letra es de Apolinar Nieto).

Y soltaste con ellos toda tu rabia, disfrazándola de anti-norteamericanismo. Habría que decir anti-americanismo (o anti-yanquismo, aunque suena muy cubano y muy confederado también); pero todos somos americanos, te decías, y eso les dijiste, y todo mundo asintió, menos el güey de la embajada mexicana.

45. *A LO LEJOS ALZÁBANSE LOS MUROS*

Andrés, Ecuador y tú, Pato, (traes una playera de Nueva Orleans y tu sombrero) estaban recargados en el coche detenido, mirando la vastedad de Norteamérica. No dijeron nada. El viento y el horizonte pennsylvanos. Y ese sol atardeciendo... y ese airecillo nuevo.

46. *CUANDO QUIERO LLORAR, NO LLORO*

Manejabas, Pato; ibas cansado, aburrido, aunque se acercaban al océano. Pero había sido un día largo.

–¿No se supone Pato que eres poeta?

–No se supone... Eso soy.

–Y ¿cómo es que no te he visto escribir una línea?

No contestaste la pregunta inocente de Ecuador. Andrés se sonrió.

–Ándele, güey. Para que se le quite lo pájaro...

De qué humor te pusiste, amigo mío. Menos mal que ese día no bebiste casi nada, apenas unos tragos.

47. *¡MAESTRO!*

Tambaleándote ligeramente, de gabardina y sombrero texano, buscaste entre las tumbas, allí en ese camposanto en Camden, hasta que hallaste la tumba de Walt Whitman. Llevabas unas flores azules, blancas y rojas. El cementerio era precioso. Te acercaste con el sombrero ya en la mano y te pareció de pronto como incongruente, como antiquísima. "Casi parece la entrada de la casa de Bilbo Bolsón". Desechaste ese pensamiento. Te acercaste aún más.

Acuérdate que dejaste las flores frente al maestro que supo de lo asible y de lo inasible y de pie, te persignaste y sacaste un libro verde, una edición cara y hermosa de antes de la Gran Guerra, que fuera de tu padre, sacaste tu anforita, diste un trago, y otro, y comenzaste a leer tu poema favorito:

We two boys together clinging,
One the other never leaving,
Up and down the roads going –North and South excursions making,
Power enjoying –elbows stretching –fingers clutching.
Arm'd and fearless –eating, drinking, sleeping, loving,
No law less than ourselves owning –sailing, soldiering, thieving, threatening,
Misers, menials priests alarming
air breathing, water drinking, on the turf
or the sea-beach dancing,
Cities wrenching, ease scoring, statutes mocking,

feebleness chasing.
Fullfilling our foray.

Bebiste un poco más. Los ojos se te llenaron de lágrimas, aunque odias ser tan sentimental. Bebiste más. Bebiste más.

Un taxi morado te esperaba en el estacionamiento. Lo manejaba un señor de Ecuador, y no lo notaste, sino hasta después; él, muy comprensivo, te ayudó a salir al regresar al bello hotelito filadélfico, y te echaste unos tragos más, y fumaste en el balconcito y ya luego, te echaste a dormir esa noche poblada de presencias.

48. *DE TUS TECHOS REALES VOLARON LAS PALOMAS*

Ibas haciéndote el dormido cuando oíste lo que sigue, Pato.

–Me aprendí el texto que querías que leyera... ¿de quién dices que es? –dijo Ecuador, mirándolo.

–De Jodoroswky, el director de *El topo*. Es de *Fando y Lys*. ¿Te lo aprendiste?

–Sí. ¿Quieres oírlo?

–De hecho me gustaría filmarlo...

–Para y cambiamos de lugar...

–Estaba pensando en despertar a este güey... Bueno, al Pato.

"A María tampoco le gustaban las groserías", pensaste para tus adentros y seguías cómodo aunque crudo fingiéndola dormir.

–Déjalo... Ayer a las cuatro todavía lo oí por ái...

–Cómo se me antoja un cigarro...

–No, a mí también... pero no pensemos en ello... ¡Corre cámara!

–"Había una vez hace ya mucho tiempo..." Corte... ¡corte!, dice sonriendo Ecuador. Luego aclara su voz. Voltea; mira luego por el retrovisor. No hay nadie en el camino.

–"Había una vez, hace ya mucho tiempo, una ciudad maravillosa llamada Tar. En esa época todas nuestras ciudades estaban intactas. No se veían ruinas porque la guerra final aún no había estallado. Cuando sucedió la gran catástrofe desaparecieron todas las ciudades, menos Tar. Tar existe aún, si sabes buscarla la encontrarás. Y cuando llegues a Tar la gente te traerá vino y soda...

Allí fue cuando hiciste como que te medio despertabas, pero no dijiste nada...

–"Y podrás jugar con una caja de música que tiene manivela. Cuando llegues a Tar ayudarás en la vendimia y recogerás el escorpión que se oculta bajo la piedra blanca. Cuando llegues a Tar conocerás la eternidad y verás al pájaro que cada cien años bebe una gota del océano. Cuando llegues a Tar comprenderás la vida. Serás gato, y fénix, y cisne y elefante y niño y anciano y estarás solo acompañado y amarás y serás amado...y estarás aquí y allá y poseerás el sello de los sellos y a medida que caigas hacia el porvenir sentirás que el éxtasis te posee para no dejarte jamás..."

Ecuador ha terminado. Se fija de nuevo, con toda atención, en la carretera. Luego le roba una mirada a Andrés, que asiente, y deja de filmar.

–Wow... Wow...

Prendiste un cigarro y fumabas. Te acordaste de aquel diálogo entre tu maestro Elizondo y el maestro Jodorowsky, pero no dijiste nada.

49. *TU MISTERIOSA Y SIN PAR*

De pronto se dibujó en el horizonte el perfil de Manhattan helado como un espejo, ansiado como es ansiada la tierra firme para el náufrago. Llovía a mares.

–Babilonia... –dijiste.

–¿No puedes ir calladito, verdad? –te dijo tu amigo.

–Sodoma... y Gomorra... y Nínive... La ciudad a la que llegaron multitudes en barco...Ellis... Battery... Desayuno en Tiffany's... Esa estatua hipócrita de la estrella, la corona y la antorcha...

Así seguiste, Pato, ¿recuerdas?

–La ciudad de los Corleone, de *Toro Salvaje*...

–De Liza Minelli... –dijo ella.

–De *La ventana indiscreta*, de Woody Allen, de De Niro, de Pacino, de....

–De Jimmy Stewart, de Kowalski, de Syd y Nancy... De Duke Ellington, de James Brown, de Nina Simone...

–De Barbara... También de Tomas Alva...

–De Antonio Reina...

–De Covarrubias, de Tablada, de Orozco, del otro Orozco, de don Salvador.

–De Andy Warhol

–Y Nico, y Jim Morrison, y Lou Reed y Joe Dallesandro...

–Babe Ruth...

–De Babe Ruth...

–Di Maggio, Joe Namath... los *Dodgers* de Brooklyn, los *Jets*...

–No, man, y John Lennon, y Yoko, y William Burroughs, y Jack Kerouac y Cassidy y Corso y Jones, Isaac Asimov e Izamu Noguchi...

Prendiste un cigarro; y Andrés:

–Regálame un jalón...

Luego vino el túnel. En absoluto silencio recorrieron la arteria subacuática. Habían decidido hospedarse en el *Chelsea*. Al encontrarlo se percataron de que debían encontrar también una pensión de autos. Así que Ecuador se bajó a registrarlos, y ustedes dieron varias vueltas hasta que por fin hallaron una, y en ella estacionaron el Mercedes. Luego bajaron las más de sus cosas.

–Vamos... Dejamos solita a Ecuador en el *hall*...

–Lo mejor de venir a Nueva York, digo, aparte de que todo mexicano conoce gente aquí, es que podemos dejarlo estacionado... Ya estaba yo cansado de manejar...

–No digas que estás cansado de manejar... Suenas como niña Pato... Uno dice, "manejar cansa" o "manejar es cansado"...

–Sí, pinche John Wayne...

–Ándale, regálame un cigarro...

Tú, Pato, se lo diste y se lo prendiste, y luego prendiste el tuyo.

–¿Cuántas veces hemos venido, eh?

–No sé –te dijo Andrés–, pero siempre quise venir en coche...

50. *PINTURA CREPUSCULAR*

Fue curiosa la transformación de Ecuador en la urbe de hierro. Había estado como en tierra extranjera, que sin duda lo es, desde que salieron de Texas; pero aquí, en Nueva York, en la ciudad en la que nunca había estado, parecía natural de allí, como si conociera la cuadrícula sobre la alargada isla de memoria, de siempre, desde niña. Y comenzó a ir sola a todas partes. Fue sola al Lincoln Center un día, y fue sola a SoHo, y ella los llevó a un barecito italiano, en Mulberry, rodeado de tiendas y bancos y periódicos chinos. Y era ella la que sabía todo el tiempo dónde estaba la boca más cercana del metro.

Los alcanzó en St. Mark's cubierta con un abrigo naranja, como de seda cruda, llena de ribetes; *super fashion.* Eso iba a ser lo único que Ecuador se comprara en todo el viaje. Ellos iban buscando un café, luego de haber visitado la escuela de cine atravesando la avenida. St. Mark's: boutiques supuestamente *avant-garde*, puestos de libros callejeros, tiendas de vejestorios orientales, contracultura, greñas, raveros, tatuajes, *piercing*.

–Qué impresionante es Nueva York... –atinó a decir Ecuador.

–¿No nos extrañastes? –dijiste, Pato: inusitadamente bebías un yoghurt y estabas harto de estar en Nueva York.

–¿La verdad...? No...

Se rió. A Andrés ninguno de los dos comentarios le había caído muy en gracia.

–Tiene que estar por aquí...

–¿Qué buscan?

–Un café donde Andrés conoció a Charlotte Rampling...

–Pues era allí, estoy seguro, nomás que ya se afresó muchísimo...

–¿Cómo se llamaba?

–Creo "Café Saint Mark's"... no me acuerdo...

Caminaron un poco más. Se pararon frente a un puesto de libros usados, de los muchos que hay en la acera donde alguna vez estuvo el *Polish Workers Social Club* y la Mutual alemana.

–Aquí está. Siempre hay ejemplares de *On the Road* en esta calle. Ecuador, de aquí es de donde saqué la frase de *The Hydrogen Bomb of Hope...*

–¿*The Hydrogen Bomb of Love*? –dijiste, Pato, inopinadamente, traicionando sus pensamientos.

–No, güey, *of Hope...*

Fueron caminando más allá. Ecuador iba maravillada. Todo la asombraba. Andrés, como siempre, encendió su cámara y la fue filmando. Dejaron los libros. Se oyó la voz de un hombre:

–*Hey! Don't forget your passports, you Canadian boys...*

Caminaron un poco más; Ecuador, que iba del brazo de Andrés le dijo:

–Nadie nunca me cree que sea yo mexicana...

–No te preocupes... A mí tampoco... Una vez me detuvieron en Canadá porque de plano pensaban que había yo robado o falsificado o algo mi pasaporte mexicano...

51. *MAS A PESAR DEL TIEMPO TERCO*

Tu amigo y tú estaban sentados en el famoso bar del Hotel Chelsea, *El Quijote*, allí donde William Burroughs y Salvador Elizondo bebían martinis antes de irse a hacer arder sus casas, dejando su lugar a un Jim Morrison perseguido por las erinias, hasta que se fue a París y allá lo encontraron (cómo le impresionaba a Andrés esa frase de una biografía de ese Dionisio: *Something very bad happened to Jim Morrison two days before he died*) y a Sid y Nancy y a ese escritor borracho y al otro. Bebían martinis. Había libros sobre la mesa, y un cuaderno negro. Le ofreciste a Andrés un cigarro.

–Lo que también podría hacer... ¿te acuerdas del cuestionario Proust, ese que antes fue de Karl Marx?

–Sí...

–Hubo una época, ¿te acuerdas, güey? Cuando hacías tus "retratos psicológicos" como de Tristán Tzara...

–Sí, y contestamos varias veces el cuestionario, ¿no?... ¿Todavía los tendrás?

–No sé... Pero lo que se me ha ocurrido es esto. ir buscando migrantes, e ir compilando las respuestas para hacer una película...

–Digo, en lugar de filmar eso que querías hacer... de recrear el asesinato de Lennon *in situ*... Además sólo somos tres...

–Claro... Pero lo vamos a hacer esta tarde, ¿eh? Así que no bebas demasiado. ¿A quién más entrevistarías?

–No sé... ¿A los señores de las flores? ¿Al dueño de las tortillerías? ¿A Brian Nissen?... Güey, a Gabriel...

–Güey, exacto...

Vio Andrés su reloj.

–Güey, vámonos ya, que quedamos con Ecuador en ya sabes... el Dakota...

Por una vez apuraste tu trago y apagaste tu cigarro apenas consumido a la voz de ya.

–Listo...

–Vamos...

–Oye ¿y sí vamos a ir después a la White Horse Tavern...? Allí donde murió, como sabes, Dylan Thomas... Diecisiete whiskys seguidos... Sus últimas palabras fueron para ver si había implantado un nuevo récord...

– Sí, David. Me cae que no sé qué haría si te murieras...

–Pues llorar...

52. *MIENTRAS EN LAS REVUELTAS EXTENSIONES*

Y en la esquina del Dakota Bldg., Andrés hizo como si fuera el loco que segó la vida del ex *beatle*, y tú Pato como si fueras John y Ecuador como si fuera Yoko; y como en esa noche fatal, llegaron desde Central Park y cruzaron la calle; y salió Andrés del relativo anonimato de la esquina y con su mano, te disparó figuradamente, David, unos tiros y caíste. Y su amiga Lorenza, una mexicana de éstas a las que el mundo les sabe a poco, lo había filmado, y fue quien dijo: ¡Corte! Y de allí se fueron en metro otra vez para debajo de la isla, a *The White Horse Tavern*. En el camino:

–Quedó muy bien, Andrés...

–Te dije que me tuvieras confianza...

–Andrés...

–Sí, yo sé... Confías en mí como en nadie...

Luego Andrés se puso a hablar solo con Ecuador, abandonándote, David, en las garras de la locuacidad intolerable de Lorenza, que además hablaba en el vagón lleno como si estuviera sola en medio del gigantesco patio de su casa en Zapopan y le hablara al aire.

53. *FALTO DE LUZ, FALTO DE FE*

Era tarde. El lugar estaba a medias lleno. Alguna gente ya se hallaba un poco bebida. Andrés, Ecuador y tú, Pato, estaban en la parte de atrás, con sus amigos de Nueva York; Lorenza y la chavita de Julliard, y ese guitarrista amigo de Ecuador, también de Múzquiz, bastante raro, y un gringo al que Lorenza traía muerto, y sin hacerle ningún caso. A ti te gustó, pero él no tenía ojos sino para la belleza jalisciense de esa chava. También había bebido bastante. Ecuador estaba hablando con este chavo acerca de gente de Coahuila, Andrés parecía no poderle quitar los ojos de encima a la chavita de Julliard. Tú ya estás de pésimo humor: *The White Horse Tavern* es ahora un bar que ha expulsado al ánima de Dylan Thomas y sirve Budweiser a pasto, en medio de neones.

Ecuador también estaba medio de malas, cuando el guitarrista se paró para irse, pues debe ir a tocar corridos a un restaurante del Spanish Harlem y, para no hablar con Lorenza, que le da miedo, ni con Andrés, embobado con esta chavita, fue a sentarse a tu lado Pato. Se oia *I've Got A Woman (Part I)* de Jimmy McGriff.

Un poco después (y la taberna está un poquito más y luego menos llena, como en un plenilunio) tú y Ecuador estaban sentados en dos sillas de la parte de atrás, lo más aparte de los grupos entregados a la plática. La música era suave y casi no se oía, sino que se oía ese murmullo, ese barullo que hay en las cantinas y que don Salvador comparaba con la primera página del *Finnegan's Wake*. Ecuador rió de algo que tú, con muy mala leche, acababas de decir e hizo para atrás la cabeza; en ese momento, obedeciendo a una tentación largamente reprimida, Pato, acuérdate y avergüénzate cabrón, tomaste la cabeza de Ecuador y te la llevaste a la entrepierna con un solo movimiento, para luego soltarla. Supiste enseguida que había sido un acto totalmente irracional y estúpido, del que te arrepentiste enseguida. Ecuador se levantó, azorada; volteó a su alrededor, y para su alivio, descubrió que nadie se había dado cuenta de nada. Te miró con ojos de fuego y de azoro y se acercó a ti; parecía que te iba a arrancar los ojos o algo. Y con voz muy baja te dijo:

–¡Eres un imbécil, Pato! ¿Tú crees que eres el único que siente un vacío allí? ¡A mí me arrancaron un hijo muerto de mi carne, pendejo!

–Perdón de veras Ecuador... perdón... discúlpame... discúlpame...

Acuérdate.

Tell you lies, tell you wicked lies...

54. *YO SOY AQUEL QUE AYER NOMÁS DECÍA*

Estabas solo y pensativo frente a un whisky en un bar alternativo de Chelsea, lleno de chavos exilados mexicanos. El hijo de tal, la hermana de tal otro. Uno de ellos es tu amigo; lo admiras sinceramente. Tu cigarro humea, pero no le prestas atención, hasta que lo apagas con desabrimiento, y prendes otro, y bebes. Estabas escribiendo: pensabas que ese día parecía que las nubes fueran de un anuncio de Carolina Herrera, Nueva York. 212. Hubieras querido ser el chavo del apartamento en blancos y negros, mientras afuera radiante el sol se retira. Hubieras querido ser el fotógrafo de moda que incita y dirige. Quién sabe. Ser poeta no estaba tan mal. Aunque te hubiera gustado tal vez nacer en una época que los tuviera por dioses, o heraldos de los dioses, o de Dios.

Nubes de Carolina Herrera, pensaste, parafraseando baratamente a Tablada, tan cerca de mis ojos, tan lejos de mi vida: sobre esa cama tendida y apenas desarreglada hubieras querido ser la chava montada sobre el chavo de agridulces tetillas. Qué frívolo, qué caliente eres man.

Entró Andrés junto con un río de gente y un aire helado. Ya eran las cinco, pero parecían las siete.

Era evidente que Andrés venía más que enojado por la manera casi cautelosa y circunspecta con la cual se acercó a la barra, donde estabas sentado Pato. Levantaste la mirada justo cuando Andrés tosió junto a ti. Ibas a decir algo pero, con un gesto de contención tu amigo lo interrumpe.

–'pérate maestro. Antes de que digas nada, déjame decirte lo que vine a decirte. No sé qué hiciste... Ecuador no quiere hablar conmigo... Pero estoy muy enojado contigo güey.

–¿Por andarte cogiendo güeritas?

–Silencio. Ecuador no puede saber nada de eso. ¿Me entiendes? Además no me la cogí... Yo no sé quién te crees, güey, pero ese comentario estuvo muy fuera de lugar. No sé si es tu pinche misoginia, o si estás celoso o qué, y me vale madres. No puedes tratar a Ecuador de esa manera. Tienes que prometerme que te vas a comportar: si no te boto aquí mismo cabrón. Te estoy hablando muy en serio...

–Perdón... –dijiste, muy nervioso. Habías visto a Andrés enojado contigo otras veces, por cosas o situaciones en las que intervinieron mujeres, y sabías que en cualquier momento puede soltarte un putazo.

–No si a mí no me tienes que pedir perdón, sino que tienes que pedirle perdón a Ecuador.

–Ya lo hice.

–Pues pídeselo otra puñetera vez cabrón.

–¿Y tú?, dijiste, sin poderte contener, rojo de coraje y de vergüenza.

–Güey, en serio, silencio... Fue un *fling*, nadamás... ¿o tú no lo harías? No mames, si eres...

–¿Qué?

–Nada...

–Ora me dices...

–¿Te digo? ¿te digo? Güey tu traicionarías a quien fuera por cogerme, y a mí, por cogerte a otro. Claro, como tú eres gay, y poeta piensas que eres el único que tiene derecho a equivocarte, a hacer tu regalada gana, a interpelar a Dios, o a la naturaleza... el único que siente, el único que importa... Es como si creyeras que eres el último hombre...

–No es mala idea... Andrés, perdóname...

–Puede ser... Pero una cosa sí me vas a prometer, te dijo tu amigo, con ojos de fuego. Vas a ser un caballero, cabrón, una dama, en lo que nos queda de viaje; o aquí me despido.

–No, perdóname Andrés, perdóname... Te lo prometo...

–Ya veremos –te dijo Andrés, levantándose.

Y luego se fue.

–Tú puedes hacer lo que quieres y cogerte a quien quieres, pero yo no puedo hacer nada... ¡Pinche cabrón! El día de mañana a ver quién te sostiene la cámara o el micrófono, puto... chingados...

55. *YO SUPE DE DOLOR DESDE MI INFANCIA*

(Esto también te lo contaron luego).

Llueve en Times Square. Es de noche y todo brilla, todo habla, todo atrae. Porque es peligroso. Andrés y Ecuador van caminando. Suena el celular de Ecuador y ésta habla, y cuelga.

–No lo vas a creer... Es el Pato. Está en el South Sea Port, muy borracho... Apenas le entendí... Hay que ir por él... Vamos al metro...

"En verdad, Ecuador, eres una sobreviviente...", piensa Andrés mientras Ecuador lo mira con pasión, toma su mano, y lo jala por la acera hacia la boca del metro. En el metro, como siempre, Ecuador va callada, mirando sin que la vean mirar, muy asombrada de la variedad de los hechos, a imagen y semejanza de Dios. Va preocupada.

Al salir fueron caminado, muy juntos bajo la escasa luz del alumbrado público por calles que no conocían, pero guiándose por las apariciones del Puente de Brooklyn, hasta que divisaron al fondo la arboladura y el velamen del "Peking", un barco hecho en Hamburgo en el siglo XX y que había dado la vuelta al mundo hacia 1929; único barco de vela aún anclado entre las islas de la Gran Manzana: al lado el muelle fresa y los restaurantes "típicos". Más allá un puente, y abajo unos estacionamientos, y calles solas e iluminadas del Fish Market. De pronto dijo Andrés:

–Allí está.

El Pato está tirado en una de estas calles "sólidas" como dicen en Morelos. Tiene sangre en la cabeza y en el labio. Está consciente y ebrio, y da lástima de veras. Es Ecuador la primera que llega junto a él, y levanta y sostiene su cabeza y le dice con ternura:

–Pato.

Andrés se acerca y lo mira con una mezcla de compasión y de enojo.

–Ay, güey. Pinche Pato, ¿quién fue el puto que te hizo esto?

–Un güey... gracias a Dios que los encontré... andaban perdidos...

–¿Puedes caminar?

–Nomás estoy un poco tomado... un poco tomado...

–Vamos a buscar un taxi...

Ecuador saca un pañuelo estrambótico de su estrambótica bolsa, y limpia la frente y los labios del Pato, y luego Andrés lo levanta y pasa su brazo sobre sus hombros, y luego caminan hacia la calle, alejándose del muelle.

–Vamos por otro trago. Aquí al bar irlandés...

–Vamos al hotel primero.

Caminan hacia la calle, siempre sosteniendo al Pato que, misteriosamente, sonríe. Luego toman un taxi rumano y en lo que parece una eternidad llegan al Chelsea, como un palomar rojo y gigantesco.

56. *CONTRA LA MENTIRA, CONTRA LA VERDAD*

¿Qué hago aquí?, te preguntaste una mañana en el Chelsea, por vez número no sé cuántos. ¿Qué hago aquí, en el universo de Andrés? ¿Cómo no soy capaz de crear mi propio mundo, sino que siempre estoy atenido a lo que su belleza manda? ¿Cómo?

Desde que lo conocí, a los quince años, así ha sido; menosprecio de uno y alabanza del otro, halagos, esperanzas, temores, sinsabores, dolores. Ah, mejor vamos por un cafecito al *deli* chino..., debiste haberte dicho, y salir a las calles mojadas. Pero te quedaste en tu cuarto a dolerte y a beberte una botella de tequila. Centinela imperial.

57. *¡Y LAS TONTERÍAS DE LA MULTITUD!*

"All the News
That's Fit to Print" The New York Times Late Edition

Vol. CLVI. No. 53,754 Copyright... Sunday, November 5
$5 beyond the Greater New York Metropolitan Area $3.50

Sites Invite Online Mourning, But Don't Speak Ill of the Dead
By Ian Urbina

58. *Y MÁS CONSOLADORA Y MÁS*

¿Fue esa noche o la noche siguiente, que estuvieron Ecuador y tú, Pato, sentados, muy juntos, escuchándose, descubriéndose? Era en *El Quijote*, eso sí. Luz muy tenue. Nina Simone se oía claramente. Ecuador siempre lo recordará.

–Pues es que ... no sé....no es sólo que esté enojado con la vida, sino que estoy enojado con la vida por las peores razones más egoístas, las peores... ¡Ah, no sabes cómo me odio! Porque no estoy enojado con la vida porque la gente se muera de hambre, ni porque los campesinos sufran, ni porque me indigne que los ricos tengan y malgasten y desperdicien la herencia común de todos. ¡No! Estoy enojado porque no me tocó más, no porque a otros les haya tocado menos. Y eso me está matando.

–Te está matando lo que eres: eres homosexual y eres católico... Y no tienes razón. Yo estaba esperando un niño... Y lo perdí... Fui a hacerme un ultrasonido. Era de mañana, e iba yo contenta, pensando, haciendo cuentas de cuanto me costaría la cunita, no sé. Llegué al hospital, todo bien. Y de pronto, en el ultrasonido, aparece mi bebé y está muerto dentro de mí... Y tuvieron que sacármelo... Ahora ya no sé si podré tener hijos... nunca...

–Lo siento. No creo que te consuele, pero yo tampoco voy a tener hijos nunca...

–¿Por qué?

–No quiero que salgan maricones...

–Tienes una bonita sonrisa, Pato. Lástima que seas tan borracho...

–Oye, Ecuador... gracias... y perdón...

–No importa... De veras... Pero cuídate, ¿no?

–Te prometo que lo intentaré... ¿Y Andrés?

–No sé... Estará arriba... Vamos si quieres...

–No... gracias. Me voy a tomar un último trago, y me iré a dormir.

Ella se fue, luego de darte un beso y tú, pues bebiste un poco más, y comenzaste a rezar un padrenuestro.

59. *LA UBRE DE LA LOBA ROMANA*

Te lo voy a contar yo, *okey*. Era la última tarde de los tres en Nueva York. A instancias de Ecuador limpiaron de mesas y sillas el cuarto, y comenzaron a sacar de sus carteras, sus libretas, Ecuador de su bolsa y de su bolsita, de sus bolsillos, los boletos de todos los lugares a los que fueron, los tickets de sus compras, una servilleta con algo anotado, el cuaderno de viaje de Andrés. Haciendo de cuenta la alfombra es el río y el mar y el río del Este, comenzaron, al mismo tiempo, a desarrugar, distribuir, clasificar los boletos. *Guggenheim Museum*, *Frick Gallery*, *Metropolitan Museum of Art*, *Museum of Modern Art*, *Empire State Building*, *Statue of Liberty*, la librería *Rizzoli* de Broadway, la librería *Strand*, el enciclopédico restaurante vietnamita del Barrio Chino, unos cerillos de un bar gay, *Saints*; una servilleta del *Russian Tea Room*, un recibo de la *U.S. Post Office*, tickets de compra del *deli* de la esquina, unos papelitos de la fortuna del Templo Budista del Barrio Chino, un *coaster* de la *White Horse Tavern*, otro, un boleto de compra de la papelería *Eagle* de la 42, otro de *Carolina Herrera*, uno de una *Wine Store*, otra cuenta de *Tower Records*, una de *Herrick Stamp Co.*, un ticket de lotería, una servilleta del bar alternativo, otros dos de una función del *Village Theater*, un corazoncito rosa y cursi de los que reparten a cambio de un dólar los sordomudos en el metro, unos *tokens* del mismo metro, una envoltura vacía de esos regalices que se llaman *Fisherman's Friend*, hartos centavos, con los que tú hiciste unas torres.

Billetes. De alguna manera la isla de Manhattan queda dibujada en la mesa.

–Y tú eras la que nunca había estado en Nueva York –le dijiste a Ecuador, Pato, y le sonreíste.

60. *Y SIN COMEDIA Y SIN LITERATURA*

Iban caminando por Park Avenue. Era de noche, una noche fría y tal vez por eso elegante; iban hacia abajo, para reunirse con Ecuador en Grand Central Station.

–Pero también somos bien envidiosos los mexicanos... Por ejemplo, si orita estuvieran filmándome, y yo fuera caminando como aquí, en Park, junto al edificio de Mies van der Rohe, y dijera los nombres de los cinco artistas mexicanos vivos más importantes que hay, me comerían vivo...

–Va, Pato... Una pregunta nueva para el Cuestionario Proust... ¿Quiénes son los artistas mexicanos vivos más importantes que hay?

–La India María, María Victoria, Juan Gabriel, José José, Luis Miguel y don Antonio Aguilar, pues quiénes más.

–No, güey...

–Sí, güey...

61. *UNA FRAGANCIA DE MELANCOLÍA*

Al encontrarse, Ecuador le dio un beso pequeño a Andrés y a ti uno grande, Pato, y fue curioso cuando por las escaleras de la estación que llevan al *oyster bar*, fueron bajando tú y Ecuador tomados de la mano; y Andrés, sin tomarle la mano a ninguno de los dos.

Aquí siempre unos van, otros vienen, la gente que se tardó acelerada, los que siempre tienen que estar allí cubiertos con el día a día del tránsito inmenso, ya acostumbrados al tráfago, aburridos de lo nuevo, y pasajeros y viajeros, y turistas, gente riendo, gente llorando, gente barriendo, gente leyendo. Policías. Todo lo que hace que la Gran Central Station sea un lugar tan extraordinario lo fue asimilando Ecuador: los altísimos techos, la bandera de seda colgando inmóvil, las puertas enormes en constante movimiento, los grandes relojes, las escaleras y los pisos de mármol, las taquillas negras y doradas, las flechas.

Llegaron al *oyster bar*, con sus techos de oro bizantino, y los miles de ostiones siendo devorados por todos mientras otros (hombres, no ostiones) matan el tiempo aguardando su turno. Allí comieron esos *Bluepoint*, tan especiales, y unos *Wellfleet*, unos *Wawenuak* y unos *Pemaquid* y un platón helado de *Thatch Island* y esos que no te gustaban Pato, pero es que a Ecuador le encantaron, los *Raspberry*, regados con vino blanco californiano, de Napa Valley, y fue allí donde Andrés les dijo:

–Vamos a ir a California... Yo los invito... y, de todos modos, es el camino a casa...

La emoción de ir a California actuó en todos como una droga; Andrés te abrazó como nunca lo había hecho, menos aquella vez en que te habían secuestrado unos del infame Batallón de Radiopatrullas, por andarte a los quince fajando un chavillo en un coche, por Tecamachalco.

Andrés esa noche se emborrachó; cosa notable, no así tú, Pato.

62. *EL HOMBRE, LA NACIÓN, EL CONTINENTE, EL MUNDO*

Bering. Los uto-aztecas. Aztlán. Los *Mound-builders*. *Roaming*. Las manadas. Los presagios. Los conquistadores. La viruela. La derrota. Y todo lo que después se sigue.

III. BLUES

What is in the East? In the West?
In the South? In the North?
Elizabeth Bishop, *Geography III*

63. *TENÍA NUESTRA AMISTAD*

Ecuador iba manejando con cuidado por el Puente George Washington, saliendo de la isla birlada hacia el robado, conquistado, predicho continente. Tú ibas a su lado. Tenían puesta alguna estación de Nueva York, que pone canciones y más canciones panameñas y dominicanas. Andrés iba atrás, dormido.

–Nunca pensé que manejaría yo por este puente... Digo, sale mucho en las películas, ¿no?

–Sí... Es el George Washington Bridge. A partir de aquí ya es otra vez bien bien los Estados Unidos... con toda su vulgaridad y su riqueza interior... y su decadencia...

Ruido que no se nota: silencio. El sol, las sombras del enramado de fierro; la velocidad.

–Y a ti, ¿qué chavos te gustan, Ecuador?

Ecuador te dio una respuesta con humildad, respuesta que era una lección, inadvertidamente.

–Me gustan los chavos como tu amigo: silenciosos, pero no callados, seguros de sí mismos pero no pagados de sí, claros, pero misteriosos...

–*Wow*...

–¿Y a ti?

–¿A mí? Casi cualquiera... con que sea chavo...

Terminaron de cruzar el puente. De nuevo estaban en la gran carretera norteamericana. Andrés seguía dormido. Roncaba.

64. *ME IMAGINO QUE VIAJAS POR UN PAÍS LEJANO*

Vomitas. Estaban en algún lugar de los que dice la canción *I've been everywhere*. Andrés estaba a tu lado, casi sosteniéndote. Lograste incorporarte. Te limpiaste los labios con un paliacate. Tu rostro era verde.

–Creo que me siento mejor.

–¿Qué te metiste güey?

–Unos whiskys.

–¿Y qué más?

–Unas madres. Quién sabe qué eran. Uf. Perdón, ¿eh? Qué pena...

–Tú ya no me apenas, güey... No sé... ya no te estoy juzgando... Ni a ti ni a nadie...

Sacaste unos cigarros. Los prenden. Estabas muy pálido.

–Eres tú el que se está iluminando... Vamos... Ya dejamos mucho tiempo a Ecuador sola...

–Vamos... tómate una coca, ¿eh? Y no más *booze* por hoy, man...

65. *POR ESTA SELVA TAN ESPESA*

Ecuador y Andrés caminaban por una vía de tren vacía justo detrás de la gasolinera, antes de Pittsburgh y el Estadio de los Tres Ríos, mientras tú, Pato, cargabas gasolina e ibas de nuevo al baño.

–No sé por qué me siento tan triste esta mañana...

–Hay días así... –le dijo Andrés.

–Me preocupa David... –dijo Ecuador, mientras el frío comenzaba a calarle.

–A mí también... Nomás espero que de aquí a California no se nos muera...

–¿Tú crees que pudiera morirse?

–Todos podemos morirnos Ecuador: es más, todos nos vamos a morir.

Se abrazan, sentados en los rieles.

–Por favor, no hablemos de eso...

66. *LAS QUE DA EL SILENCIO*

Recuerda. Estaban los tres terminando de comer en ese diner de Indianápolis, un diner obrero, lleno de insignias de sindicatos y asociaciones, un lugar de bomberos y fans y trabajadores, lleno de neones, y fotos de artistas y espejos. Café y pays.

–Eso es algo que los españoles, los franceses, los europeos en general, no entienden...pero... un paisaje majestuoso y y arruinado... una vastedad que tiene sus nombres, indios, franceses, españoles, romanos, y todo regulado por los mismos establecimientos... una geografía de nombres que nos atrae pero en cuyo final no hay sino un pay de manzana y un café exactamente iguales al otro que nos acabamos de comer, en otro pueblo, con otro nombre...

–Andrés, Ecuador, ¿les puedo leer un poema?

–Sí.

–Pérenme; voy por la cámara...

Al volver Andrés, Pato, ya habías sacado una hoja de papel y adoptado esa pose, como trascendente e intrascendente, que es la que usas para leer.

–¿Listo?

–Tú eres el director...

–Va...

–Se llama *California*... Está dedicado a ti Andrés... Ahí les va...

Las vidas de todos se las lleva el cine.
Un asesinato en la calle lo vi en el cine.
Esos gritos los gritó De Palma en la Palma de Oro del cine.
Es Cannes.
Ese atentado se fraguó en el cine. Y ese beso.
¿Y Alejandro el Grande, y Nerón, y Carlos I y Goya?
Nada. Se los tragó el cine.
Cine son las tetrarquías,
galácticas.
Beethoven es un perro y Donatello una
tortuga *ninja*
en el cine.

Y Andrés Soler echándose un tequila.

–Hasta que llovió en Sayula, güey... En serio... Está increíble, David... Yo no sé por qué no te lanzas a ser un escritor en serio... Y ya di que te gusta el cine, ¿no?

–¿Les puedo leer otro? También es de cine... se lo dediqué a Ecuador.

Oscar® Night

"*Grrmmmpff*", dijo Bilbo
y desapareció
en la espesura
del follaje de
la escritura.

Ecuador te sonrió como han de sonreír las estrellas. Recuerda.

67. *Se abisma en el abismo el pensamiento*

Luego un día aburrido: no viste a Andrés. Te fuiste poniendo de muy malas y terminaste solo y otra vez borracho tosiendo y preocupado; y pasaste mala noche; tuviste un poquito de delirios tal vez; una como víbora en tu casa, y tus hermanos no te hacían caso; pero tus perras te defendieron.

68. *¡ETERNIDAD!*

In a nudge of the Old Man River
a billboard
with Our Lady Of Guadalupe...

69. *¡SIEMPRE ESTÁS DISTRAÍDO! –ME DECÍA*

Respuestas al Cuestionario Proust (En un restaurante irlandés en Indianápolis).

De Ecuador:

Which is the human quality which you mostly admire? El silencio.

What is your most characteristic trait? La timidez.

Which is your idea of happiness? La comunión.

Which is your idea of misfortune? Que nadie me hable.

Which defect inspires you most indulgence? La inseguridad.

And which one inspires you aversion? La soberbia.

Which historic character do you despise the most? Calígula.

Which is your favorite pursuit? La actuación.

Who is your favorite author? Shakespeare.

Who is your favorite hero? Romeo.

Who is your favorite heroine? Julieta.

Which is your favorite flower? El iris.

Which is your favorite color? El blanco.

Which name do you prefer? Los normales; Pablo, Pedro, Juan.

What do you like to eat? Enchiladas.

Which is your motto? Hacer de un defecto, una virtud.

De Andrés:

Which is the human quality which you mostly admire? El valor.

What is your most characteristic trait? La persistencia.

Which is your idea of happiness? La paz.

Which is your idea of misfortune? La ignorancia.

Which defect inspires you most indulgence? La ignorancia.

And which one inspires you aversion? La ignorancia.

Which historic character do you despise the most? Hitler, Franco, Stalin, Mao.

Which is your favorite pursuit? Filmar.

Who is your favorite author? Jack Kerouac.

Who is your favorite hero? Alejandro.

Who is your favorite heroine? Florence Nightingale.

Which is your favorite flower? Las rosas.

Which is your favorite color? El rojo.

Which name do you prefer? Los romanos.

What do you like to eat? Lo más sencillo.

Which is your motto? Más, con menos.

Tuya, David.

Which is the human quality which you mostly admire? La belleza.

What is your most characteristic trait? La admiración.

Which is your idea of happiness? Ser amado.

Which is your idea of misfortune? No ser amado.

Which defect inspires you most indulgence? Los inspirados por el amor.

And which one inspires you aversion? Los inspirados por el odio.

Which historic character do you despise the most? Scott, Polk, Taylor, Grant, Lee.

Which is your favorite pursuit? Escribir. Coger. Dormir.

Who is your favorite author? Walt Whitman, Charles Baudelaire, Salvador Elizondo, Oscar Wilde, William Burroughs.

Who is your favorite hero? El héroe de Nacozari.

Who is your favorite heroine? Las mujeres que disparan cañones cuando todos los hombres ya están muertos.

Which is your favorite flower? Las palmiras.

Which is your favorite color? El naranja.

Which name do you prefer? Los de los Papas: Benedicto, Adriano, Juan Pablo, Juan, Pío, Urbano, Félix, Lino.

What do you like to eat? Caviar.

Which is your motto? Si no tú, ¿entonces quién? Si no ahora, ¿entonces cuándo?

70. *EN UNA TARDE SERENA*

El coche avanzaba, devorando millas, entre Indianápolis y San Luis Misuri, por la espinal carretera norteamericana, que alguno bautizó como *The Neon Highway*. Se veía lo que se ve en la carretera: signos, señales, anuncios, luces ultrarrápidas, tráileres y tráileres y tráileres, reclamos, símbolos.

Vas pensando que la misma ruta la hizo Walt Whitman, ya viejo, después de su primer ataque de parálisis; la misma ruta, hacia el Oeste: Indianápolis, San Luis, Misuri, y de allí a Kansas, Topeka, Denver. Las Rocallosas y *...the silver mountains of New Mexico!*

Luke, 18, 8 en uno de esos anuncios espectaculares que están iluminados por dentro.

Es decir, "Lucas, 18, 8". Pregunta Cristo a sus amigos que si cuando el Hijo del Hombre regrese acaso hallará fe en la tierra.

71. *BIEN VES, SI ME ESTÁS MIRANDO*

Cuando estaban cruzando el gran río a Andrés le llovía.

–Los bisontes. Los indígenas. Sitting Bull. La guerra contra México. El Batallón de San Patricio. La esclavitud. La guerra civil. El *Maine*. Las bombas atómicas. Cómo han matado gente, güey, decías, Pato.

–Sí, y Irak... –dijo Ecuador antigramaticalmente.

–No, si no soy ciego a ello... También sé, o intuyo, que cuando nazca el Anticristo, pues ni modo que vaya a ser mexicano, o de Senegal... va a ser gringo... pero, ¿eso qué le hace? Los admiro...

–¿Y el abandono en Nueva Orleans? –dijo Ecuador; y tú, Pato:

–Es imposible hablar contigo, güey...

–No te enojes...

–¿Estuvo o no estuvo mal lo que nos hicieron...?

–Perdón, ya sé que parezco un disco rayado, pero tengo un hambre...

–Y yo una sed... Y quisiera un tequila...

–Mmm... Hasta a mí se me antojó uno...

–¿Y qué tal unos sopecitos de tinga? ¿O unas chalupas?

–Aquí no hay de eso... pero qué pinche antojo... ¿Has comido de esos tacos del "Güero", Pato?

–Sí, pero son de guisado. A mí los que me gustan son los del "Califa de Oro", donde comía sus tacos Luis Donaldo Colosio...

–En paz descanse –dice Ecuador, sin pensarlo.

72. *POR TI, POR TI CLAMABA*

Iban por la carretera entre San Luis y Kansas City. De pronto, un letrero. "México", a la derecha.

–Miren... por allí se va a México...

Luego, en Kansas, la ciudad de las fuentes, esa noche, como bebiste...

> *Yo sé que tu recuerdo es mi desgracia*
> *y vengo aquí a recordar...*

73. *¿Y POR QUÉ NO HA DE SER VERDAD EL ALMA?*

Kansas. Largo, interminable Kansas; sin un árbol ni una lomita, más que en las barranquitas de los muchos ríos, pero si no el puro océano de hierba y el ganado negro y los silos. Andrés estaba preocupado por algo. No averiguaste qué. ¿María? ¿Algo de lana? ¿Un recuerdo?

Los invitó a cenar a un *steak-house* en el "pueblito" de inspiración sevillana al sur de la 40, el primer *mall* al aire libre del mundo. Tan sólo dijo:

–Hoy no nos preocupemos por lo que no podemos cambiar. Ya mañana será otro día. Yo estoy exhausto.

Ecuador bebió mucho esa noche y estaba de buen humor; y tenía razón en las cosas que decía, y luego salieron a la rara ciudad de Kansas cuyo centro son los trenes y un estadio en construcción.

74. *EL BESO DE LA ESFINGE*

¿Y esa noche en que deambulabas borracho por unas calles solas e inhóspitas de Kansas City? ¿Qué te rodeaba? Ladrillos requemados. Basureros. Torres de agua. Ibas triste e ibas pensando que ya no hay poesía, que ya no hay comunidad; que una cosa lleva a la otra. Los poetas, o sea yo, (así dijiste) lo miran todo con aire de leones obvios y aburridos en el desierto de la televisión.

Y de pronto tu sombra se topó con otra sombra, fuerte, bien parecida. Y se unieron.

75. *EN REDEDOR NUESTRO LATEN Y SUSBSISTEN*

Un día llegaron mero enmedio de los Estados Unidos de América. El letrero que dice: San Francisco, 1561 millas, para allá. Aquí en Kinsley, en Kansas, barrida por el viento. Nueva York, 1561 millas para el otro lado. Hay una locomotora sobre un riel que no va a ningún lado.

–Allá hay una vía del tren.

Caminaron. Soplaba un aire raudo y helado. Viene del Canadá. Junto a los rieles encontraron clavos oxidados y junturas de hierro.

–Desde estos trenes les disparaban a los bisontes.

76. *Y POR UN FENÓMENO DE RAREZA LLENO*

En tu cuarto en Topeka, Pato, en calzones, mirabas fotos de chavos en traje de baño (*Speedo*) por internet. La tenías parada. Tocaron en eso a la puerta.

–*Who is it*?

Entró Andrés.

–¿Estás listo?

Quisiste apagar la computadora rápidamente, pero tus nervios te traicionaron, y apareció el zoom de un güey en un traje de baño color oro, un güey muy parecido a Andrés.

–No...

–Se está haciendo tarde... –dice Andrés, quien al entrar lo ve, piensa todavía *Final en laguna*, se sonríe, se baja las manos al pantalón, y hace el movimiento de que va a abrirse la bragueta.

–Ahora sí, papacito...

Se interrumpió al ver tu mirada, Pato, directa, vidriosa, como de reptil, casi, al ver la libélula o el escarabajo que van a ser su presa ese día. Se cerró el pantalón y salió, riéndose, cerrando la puerta, guiñándote un ojo.

–Estarás tan bueno, güey...

77. *MIENTRAS MÁS DISTANTES, MÁS IMPERIOSAS*

No fue muy bueno el principio de la noche en que luego llegaron a una discoteca de ambiente y vaquera en Topeka. Andrés y Ecuador habían tenido una pelea, en el coche, aunque al llegar se habían ya reconciliado. Desde lejos se veía la bandera del arcoíris, la luz negra, la animación del lugar. Pero era un lugar fuerte.

–Me caga que ahora el arcoíris, que era de todos, que era la bandera de la promesa de Dios, sea la bandera gay... –dijiste Pato, tirando tu cigarro y pisándolo con ánimo destructor.

–No hagas caso, David...

–No sabía que este viaje fuera una prueba.

–Todo es una prueba, mi querido David, o ¿acaso no lo sabes?

Entraron. Te quitaste tu chamarra de borrega, que por fin habías conseguido: abajo ibas de camisa vaquera rosa. Pidieron de beber. Los miraron. Sonaron los primeros acordes de "I Feel Love" y tú David, comenzaste a bailar, con Ecuador, mientras Andrés los miraba, la canción de Donna Summer. Poco a poco tu baile David se va volviendo más y más una especie de, ¿de qué?: de tragedia contenida, de agonía, de griega desesperación y...

Horas después te tiraste a dormir en una silla al lado de la alberca sin agua y llena de hojas rojas.

78. *SOY UN VIAJERO QUE TIENE PRISA*

–Juré no estar crudo en la mañana de mi cumpleaños... Puta, me duele todo...

–Te tengo un regalo, Pato.

–Yo también te tengo un regalo, David. ¡Feliz cumpleaños!

El regalo de Andrés era un álbum rojo lleno de timbres norteamericanos: las primeras emisiones, las llamadas *Bank Notes*, unos timbres del Cuarto Centenario, y los de la Expedición de Lewis y Clark; y el *Back of the Book* y el *Deep Back of the Book*: *Narcotic Stamps*; *Duck Stamps*, es decir, permisos de caza y etiquetas de conservación... *Revenues*. El regalo de Ecuador es un anillo de turquesas, como de indio, y un disco de Nina Simone. De pronto Ecuador se echa a llorar. Ustedes la consolaron.

–Perdón chicos... No sé últimamente qué me pasa... Todo hace que me den ganas de llorar...

–Bueno, es que estamos en Topeka –atinaste a decir.

79. *SOY UN ALA QUE TRÉMULA VERBERO*

Nubes fascinantes de colores alternándose de azules a rosas a amarillos y luego a azules más profundos y grises. Siluetas negras de montañas. Estaban de pie junto a su coche, en el límite de Kansas y Colorado viendo magnífico el cielo. Tenías un toque en la mano.

–Aquí era México... –dijo Ecuador casi llorando.

Bañando el toque y conteniendo el humo y la respiración dijiste:

–Bueno, sí...

Pero no pensabas en lo que ella recién te dijera, sino que pensabas en cuando fumaban tú y Andrés sus primeros toques en el borde del Bosque de Chapultepec, hacía tantos años ya, por ahí, por casa de los Beteta y por la casa donde se mató, triste, Torres Bodet. Y oían a Los Doors y pensaban que nada de ellos nunca se acabaría, ni se transformaría, ni se marchitaría, ni se agostaría como se agostan las hierbas arrancadas por la tarde.

There will never be another one like you
there will never be another who can
do the things you do
Will you give it another chance,
will you try a little try?

We were together... Anyway, allright.
Do you remember?
Will you stop, will you stop... the pain...

80. *ESTE LIBRO TIENE MUCHOS PRECEDENTES*

La diferencia era que Andrés no quería ser otro, ni Ecuador, y tú, David, no habías querido nada más, sino ser otro, desde que tenías cuatro años...

81. *YO EN MIS TRISTES RIMAS NO PRETENDO NADA*

El novísimo Museo de Arte Moderno en Denver. Bebían un vino extraordinario. La luz era suave y amarilla y azulada. Todo parecía falso y verdadero. Afuera había una escultura cara y demasiado grande.

–Cómo me impresiona sentir que están en guerra...

–Sí, las estrellas amarillas... y los lazos *to support our troops...*

–Lo que sí, no por estar de acuerdo con los postulados es necesario estar de acuerdo con las consecuencias... Abu Ghraib... Guantánamo...

–No hay que hablar muy alto, güey... No sé, man... Si estás de acuerdo con los postulados es difícil no dejarte arrastrar hacia las consecuencias...

–No, no. El tren es el mismo y en él vamos todos: cada quien lo único que hace es decidir en qué estación se baja... Aunque a veces no haya chance de bajarse del tren en marcha...

–Yo sé... Pero, pongamos por ejemplo al Una Bomber...

–Sabía que ibas a decir eso... En él pensaba...

–Es una cosa tan lógica... ¿Leíste su manifiesto? Claro, si tú me lo prestaste... –dijiste llevándote una mano a la frente.

–Sí, yo lo tenía... por cierto, ¿dónde está? En fin... Pero tú puedes estar de acuerdo con Ludd, y Ruskin, y Conrad, y hasta puedes estar tantito de acuerdo en cierta parte del diagnóstico del Una Bomber; eso no significa que creas que la destrucción de ese sistema realmente traerá la paz, o el reino, o la restauración.

–Pues no sé... Su idea puesta en práctica del asesinato selectivo es muy interesante...

–Güey, no mames. Eso equivale a convertir a la sociedad en un predador..., gigantesco, el más grande predador...

–Cosa que ya es. No, eso nomás obliga a la sociedad actual a desenmascararse y mostrarse como es: un predador inmenso... Pero eso no es ya más lo que me preocupa...

–¿Sino?

–Sino que como todo es imparable, sólo quedan dos cosas por hacer, y una es retirarse... emboscarse, irse, permanecer ajeno. La otra es convertirte en un intelectual orgánico de la pesadilla...

–Tú no crees que haya esperanza, ¿verdad?

–Claro que no... Sólo en Cristo...

–Pues yo sí... Y además no creo que la violencia resuelva nada...

–Hay un momento, como en el levantamiento del Ghetto de Varsovia, en que lo resuelve todo...

–No pues allí sí estoy de acuerdo...

–Mmmhhh...

–Como en mi película favorita de Antonioni...

–¿Cuál es su mejor película?

–*El eclipse*...

–Claro que ésa no es su mejor película...

–No sé ni para qué te oigo, Pato, si tú eres de los que creen que "Jumping Jack Flash" la canta mejor Peter Frampton que los Rolling...

–*One of the True Spirits of the Seventies*...

–Claro que no...

–Güey, yo prefiero a Peter Frampton que al Che Guevara...

–Ése es los sesentas...

–Güey...

82. *TANTOS COMO GENTES*

Esto tú no lo viste, ni lo registraste, ni lo supiste, David.

Trenes inmensos de carga bajo el cielo de un profundo azul. Es Grand Junction, Colorado, un lugar traspasado, y no sólo por el sonido de los trenes incesantes. Andrés los filma. Ecuador, a su lado, lo mira, y saca una camarita desechable y le toma unas fotos.

–¡Éste es como el corazón de los Estados Unidos...!

Andrés la mira, y sonríe, ¿despectivamente, como se sonríe uno ante un *cliché*? Ecuador lo mira, inquieta, medio le adivina lo que está pensando. Trenes y más trenes. "¡Qué importa! Verdaderamente, la amo" se dice Andrés, solamente.

Luego, cosa extraña, se acuerda de ese día, en Varsovia, en 2002, la estación de trenes, el día en que como que decidió que jamás volvería a Europa. Estaba pensando en el *ano del mundo*, Auschwitz. Pensaba que ni uno solo de los trenes se detuvo más que en la estación de la muerte. Nadie se tiró a los rieles para detenerlos, nadie bombardeó las vías, no nos pusimos allí, todos, a una, ni amontonamos oro e iglesias para detener los trenes. Voy a detenerme. No quiero envolver todo con palabras que sólo salen de mí. Y una voz desde su interior le había dicho: "Pero eres un testigo de los testigos".

83. *SOBRE EL HONDO CANSANCIO DE MI VIDA*

Como esas tardes en que la luz se ensucia, y parece que están a punto de derretirse las cosas, no de calor, sino de frío... así andabas, Pato, hasta que, de pronto, ya pareció que estabas bien...

84. ¿*Has escuchado?*

Pasaron un trago amargo cuando Andrés iba manejando por la carretera entrando a Utah (cerca de Cisco), muy de mañana. ¿Recuerdas? Todo estaba muy hermoso y brillante.

Por el retrovisor mirabas una *pick-up* que se les acercaba demasiado. Traía una bandera confederada extendida y amarrada al cofre como alguien en un suplicio estirado. Al rebasarlos, imprudentemente, la gente del coche, unos *redneck* tatuados y con *piercing*, los insultó, con imprecaciones racistas que apenas y se entendían (pero se entendía la rabia) y los asustaron. Uno de ellos de pronto sacó un brazo y hace con su mano como si fuera un arma de fuego, y dizque les dispara. Andrés encontró un lugar donde parar. Salieron del coche rápido, como si el coche fuera un avispero o fuera a estallar una bomba adentro. Prendiste David un cigarro; y todos fumaron de él.

–Pensé que nos iban a disparar de a deveras, como en *Easy Rider*...

85. *¡QUIÉN DEL ESPACIO DEVUELVE UN AVE!*

Era por Bluff, Utah, entre los colorados cañones del río Colorado.

–¿Dónde estamos, Ecuador?

Seria, muy seria, Ecuador contestó:

–Estamos en territorio indio...

86. *Señuelo*

Recuerda, pero ¿qué día fue ése?, en medio del desierto, las estrellas, y, bajo las estrellas, una fogata. Un meteoro. Desentonados cantaban el *Siete Leguas*:

> En la estación de Irapuato,
> cantaban los horizontes:
> allí combatió formal,
> la Brigada Bracamontes.
>
> Adiós torres de Chihuahua,
> adiós torres de cantera.
> Ya llegó Francisco Villa
> a quitarles lo pantera...

87. *Nearer to Thee!*

Cerca de Moab, que a ti te recordó Tepoztlán, por sus esotéricas montañas y su población de paso, muy *in*, encontraron un lugar donde se podía acampar, en los Canyonlands, más allá de la Castle Rock, cerca de una de esas columnas de piedra anaranjada; y alrededor de la fogata prendida, en la noche lechosa de estrellas, comían frijoles y tocino. Había esa cafetera de peltre humeando. A su alrededor era como *Brokeback Mountain*, nomás que no era así. Acabaron: fumaron una mota que les habían regalado unos chavos por la mañana. Dijiste, Pato, aclarándote la garganta.

–Les voy a leer esto. *El último hombre*... Es el título. Ahí les va.

"Él no sabe que es el último. Está rodeado de figuras que pretenden, con acierto, ser hombres. Siendo, aún sin saberlo, quién es, era inevitable que todo fuera dirigido a él, o contra él. Todo: desde los libros que no leerá (alguno en coreano), y las revistas que ya no le interesan a los anuncios de torsos descubiertos y las imágenes de atroces ocurrencias diarias, que recuerdan el derrumbe de la torre de Siloé; de la rotura de un vidrio y la caída de un árbol en un bosque que no escucha, al éxito de James, los *cowboys* que se aman, el rap que rima lo que no puede cambiar, las películas de Van Sant y de Von Trier, el infierno, los secretos de la Santísima Virgen de Fátima, la encíclica de Benedicto XVI, los incendios en Francia, los aviones cargados con los ataúdes de los caídos y el cortejo de los negros grajos sobre la verde grama, el fuego que quiere prender y el agua que quiere lavar, el sudor que purifica y el nuevo caterpillar, la Norma Oficial Mexicana, Mexican Hat, Arizona, y el rugido que se apaga en la Lacandona, las fiestas que acaban como en *Los endemoniados* acaba una fiesta que describe Dostoievsky y la posible o imposible conversión de un joven machetero en las laderas del Ruwenzori, una de las Montañas de la Luna, "enchúlame la máquina" y el temblor que dañó los frescos de Giotto en Asís, las medusas alteradas, la cura milagrosa, los laboratorios en la selva abandonados, las redondas, robustas rodillas de los chavos y la determinación confusa de las colegialas; el no, el sí, el tal vez, el quizá, el cuándo, el dónde, el proverbio medieval, Jim, y Lord Jim, los huesos de la ballena, la película de su amigo, la Semana Santa entre los coras, las cruces de Yuma y las cruces de Arlington, la arteria tapada, el diente cariado, el coreback de la pierna quebrada, el récord, el córner, Steiner: Jacob, y la lucha con el ángel."

–Está increíble güey...

–A mí también me gustó, aunque me gustó más el otro... Aquí hubo cosas que no entendí... ¿No lo leerías de nuevo?

–Mmhh... a lo mejor estaba yo más inspirado...

–O menos pedo –te dijo Andrés.

Dormiste bien esa noche.

Al día siguiente, por la tarde, estabas Pato, de botas, sombrero y gabardina, queriendo prender una fogata bajo la mirada de Andrés, sentado en un tronco requemado.

–Si no la logras prender en un minuto, me quedo con tu sombrero...

–¿Y si lo logro?

–Como cuando éramos chavos, güey. Te doy dos minutos de esclavitud...

–Que sean cinco...

–Pero no vale fajarme...

–Ay... O.K. Cinco minutos, ¿ehe?

Cómo te afanaste, Pato, pero no lograste prender el fuego. Había una brisa que lo apagaba continuamente.

–Ni modo, güey. Te tocó pagar...

Te quitaste tu sombrero y se lo diste a Andrés.

–¿A poco hacían eso?

–Sí, y no sabes tu amigo qué pinche tirano...

–Vete por unas ramas, ¿no? Nomás aguas con las víboras...

–Voy por unas ramas...

Andrés se acerca a Ecuador y le pone el sombrero en la cabeza, y luego acercan sus caras y sus cuerpos. Tu caminaste sin querer mirar atrás, pero sintiendo el, ¿cómo decir?, el espíritu de tus amigos, colores rojos y verdes como la piel de un lagarto.

88. *HABÍA UN ÁNGEL CERCA DE MÍ*

–Yo también pensé que nos iban a disparar, allá... saliendo de Grand Junction... Me da miedo morir... así, súbitamente, estúpidamente...

–Ya quisiera regresar a México...

–Lo he pensado también... vamos a California aunque sea tres días y ya luego nos vamos, ¿no?

–Sí... está bien ...

Llegaste de Moab, Utah, trayendo agua, donas, papitas, coca-colas, 2 botellas de bourbon, atún, huevos, una sartén, libros, una *kachina*, café. Parecías minero. Agarraste al vuelo las últimas palabras de Andrés.

–Qué tal que vendemos tu carcacha y nos vamos en avión, ¿no?

–Ya veremos... Cómo se ve que no es tuyo, güey... ¿Trajiste alcohol?

–Sí... perdón, pero en las reservaciones no hay alcohol... y mañana y pasado vamos a estar en la Nación Navajo... y yo quisiera ir a ver a los Hopi...

–Está bien...

Silencio. Cae la tarde. Aparece la Estrella Vespertina.

–Se van a reír de mí... pero yo tengo miedo de esa nave que mandaron... el Voyager, ¿no? ya ven que allí, en una placa indestructible, está nuestra dirección, y nuestra composición química, y hasta un dibujo de un hombre y una mujer desnudos...

–¿Y eso?

–Pues que si unos marcianos mala onda, como gringos, la encuentran, ya valimos chicharrón...

–Qué tonto eres.

–Sí, soy re tonto...

Al día siguiente empacaron, muy de mañana, y fueron hasta Mexican Hat, y dejaron las tierras mormonas y entraron a las tierras navajos. Era lo más parecido, en un sentido real, a México que habían visto en los últimos sesenta y cinco días. Y se parecía porque era pobre y desolado y era hermoso.

89. *ALCÉ LOS OJOS DESPAVORIDO*

(Déjame contarlo así, como si fueras un personaje.)

Pasa un águila calva. Es la una. Andrés está solo y descamisado en una gran roca plana en los acantilados que se erigen en el Monument Valley, rojo y morado. A su lado sus cigarros, su cámara de súper ocho, su cuaderno de apuntes y de fotos. Arriba se cruzan las estelas de dos aviones. Lleva puesto el sombrero del Pato. Parece que piensa en algo, se decide, toma su cámara, se levanta rápido, y de pronto se derrumba en el mismo sitio. La cámara de cine cae. El cigarrillo cae. Andrés queda muerto mirando un mediodía en las rocas que fueron antes sumergida parte de un océano antediluviano.

El Pato, que trae su pachita, lo ve, la suelta, el whisky comienza a fluir y abandonar la botella plana de metal para ser bebido por un suelo ávido, y el Pato comienza a subir, desesperado, por la arena y la piedra hasta que llega a la roca. Pero Andrés está muerto.

Y aunque el Pato lo moviera y le hablara, con ternura primero, con desesperación después, no iba a cambiar ese hecho.

–Andrés... Andrés... ¡Andrés! ¡Andrés!

* * *

Uno le grita a los muertos. De pronto estabas solo, cargando a medias el cuerpo de tu amigo en el paisaje extraordinario. Y no era una novela, ni una película.

–¡Ecuador!

Ecuador comprende enseguida que algo terrible ha sucedido. Sube, como un gamo, las piedras. Sigue subiendo, con una voluntad casi animal. Te arranca, sin decir nada, como una fiera, el cuerpo de Andrés, y acerca el pecho desnudo de Andrés a su oído. Nada. Lo mueve. Lo acerca de nuevo. Nada.

90. *¡CÓMO CALLAN LOS MUERTOS!*

Y el 911 y los *marshalls* de la Nación Navajo y sus preguntas y luego, las preguntas de la funeraria... Y lo más cabrón, la llamada a México...

91. *EN SU CAJA EXTENDIDOS*

A Andrés le hubiera gustado su funeral. Fue en una casita de adobe, rodeado de gente y borregos y trocas y patios llenos de cosas rotas, y pinos aferrados al suelo como en un poema de Díaz Mirón; fue en las afueras de Kayenta, en la Nación Navajo, en Arizona. Allí estaba su ataúd sencillo, y en él Andrés, bien vestido, con las manos sobre el pecho, y en ellas el rosario de Ecuador, y una sonrisa plácida en el rostro. Alrededor, velas, y unas pocas flores, y, más allá, sillitas y mujeres indias, de rebozo unas, de tenis y sudadera otras rodeando a Ecuador, que lleva también un rebozo sobre la cabeza pero no llora, sino que está allí nomás seria, seriesísima, con la mirada fija en el ataúd donde reposa Andrés. ¿Recuerdas?

–Ave María, llena eres de gracia, el Señor es contigo. Bendita eres entre las mujeres, y bendito es el fruto de tu vientre, Jesús. Santa María, Madre de Dios, ruega por nosotros pecadores, ahora y en la hora de nuestra muerte. Amén.

Ecuador reza en español, las señoras en navajo. El padre Jerome aún no llega: pero es que siempre tiene mucho que hacer y va y viene.

En el patiecito, rodeado de pinos retorcidos y de huizaches, alrededor de un fuego, estaban sentados varios indios y tú, Pato. Bebían todos de la misma anforita, que se van pasando. Te fijaste en cómo otean el horizonte, no los vayan a agarrar bebiendo. Están callados. La barda de adobe. Los pinos. Una tina abandonada, y rara. Los cactus. El cielo. El lucero de la tarde. Aparece de pronto una camioneta roja (se esconde el alcohol detrás de una piedra) y al llegar baja una figura disímbola, de tacones y de luto. Es Cristina, la madre de Andrés. De muy jovencita había sido modelo, hasta que se casó con el papá de Andrés.

–*She is his mother...*

Todo mundo se levanta y abre el círculo a la recién llegada y la saluda y la abraza, y la conforta. Lo que sigue ha de haber pasado, pero poca memoria guardaste, Pato, de lo que dijeron o de las flores que se desparramaron, los lloros, los abrazos, las confesiones. En algún momento llegó el padre, un hombre viejo y robusto. Recuerda cómo, en el entierro, bajo una cruz de madera, en medio del desierto, la mamá de Andrés se aferraba a tu hombro.

Y tú sólo podías pensar, qué orgullo le hubiera dado a Andrés estar enterrado en la Nación Navajo.

92. *EN EL MÍSTICO REFLEJO*

(Luego supiste esto que aquí te cuento.)

En uno de esos lugares que son entre tienditas y oficinas de correo y tienen afuera una enramada, en Tuba City, Arizona, Ecuador está sola y meditabunda frente a una mesita de lámina. Lleva una mascada, que le cubre el pelo. Frente a ella hay una coca-cola con un popote: hace calor, pero la enramada es fresca; el sol se filtra entre las hojas; se oyen insectos que pasan como bólidos de su propio mundo y, más o menos lejos, unos niños jugando béisbol. De pronto Ecuador siente una como punzada de dolor que parece apuñalarla y que la obliga a esconder su cara con ambas manos, para que no la vean llorar. Llora y se calma. Se seca la punta del ojo con la punta de la mascada. Busca luego unos lentes de sol, y se queda mirando el horizonte de huizaches, mezquites, órganos y, a lo lejos, las montañas azules. Un hombre se acerca. Es el padre Toribio. Tiene una edad indefinida, de entre veintiocho a treinta y cinco años. Trae un traje lleno de polvo, la camisa gris, con alzacuellos, y zapatos de campo, gastados. Sus ojos son verdes; su cabello corto, y peinado como de los años veinte. Habla con un ligero acento como de "La Chona", es decir, Encarnación de Díaz, Jalisco.

–M'hijita, ¿qué tiene? ¿Por qué está usté llorando? ¿Es usté mexicana, verdá?

–Sí, padre, soy de allá.

–Allá; aquí, acullá. ¿Me puedo sentar?

–Por supuesto, padre...

–Soy el Padre Toribio. ¿Por qué estaba usté llorando?

Ecuador dejó de llorar y lo miró.

–Ay, padre... es que ... es que estoy enojada con Dios.

–A veces yo también, m'hijita, yo también.

–¿Quiere una coca-cola, padre?

–Sí, se la acepto. Mil gracias.

Ecuador se levanta y sale de la enramada en busca de una coca-cola. El padre Toribio se apoya en el respaldo de la silla destartalada y saca un rosario de su bolsillo del traje. Es un rosario hecho con semillas del desierto, una tosca cruz, un nudito. Reza un rosario en silencio, con los ojos cerrados. Al oír a Ecuador que se acerca, guarda rápidamente su rosario y se levanta, abriendo los ojos y sonriendo. Ecuador llega y le da, de pie, la coca-cola, y luego se sientan al mismo tiempo.

–Es que acaba de morir mi mejor amigo...ahí, enfrente de nosotros... Un ataque cardiaco...

–Es muy triste cuando los que queremos se nos adelantan. Gente que creemos que nunca se va a morir, precisamente porque los necesitamos. Yo también perdí hace poco a un amigo... cruzaba la frontera en Yuma...

–Lo siento... por su amigo...

–Yo también, m'hijita... Pero cuando se empeña la vida por un fin superior, está bien. ¿Qué hacía su amigo? ¿Cómo se llamaba? ¿Y usted?

–Me llamo Ecuador, padre... Él, Andrés; era cineasta.

Ecuador suspira, mirándolo siempre, y su cara se contrae en un gesto de dolor, y en un sollozo deja ir su dolor.

–Mire, Ecuador, a mí a cada rato me pasa que no entiendo... No sé a veces por qué me pasa lo que me pasa, ni por qué soy testigo de las cosas de las cuales he de ser testigo.

Hay veces que en las lágrimas encuentro mi único consuelo, no... no, lo dije mal; hay veces que, al mirarlo a Él, es en las lágrimas que encuentro mi único consuelo, en Él...

Silencio. A lo lejos se oye un camión, frenando con motor.

–El sufrimiento no es bueno, Ecuador. Es malo. Es un misterio. El misterio de la iniquidad.

Jesús curaba a todos los dolientes que atravesaron su camino: los ciegos, los leprosos, los cojos...

Jesús no ha elogiado el sufrimiento... Jesús buscaba... busca, aliviar el sufrimiento. No ha venido a explicarlo, sino que lo ha asumido. Jesús lleva sobre sí todo el peso del dolor humano, de las pérdidas, las decepciones, los odios, las caídas, las recaídas, las ausencias y, también, el peso de nuestra indiferencia, de nuestros rechazos.

Silencio absoluto. Todo reverbera en silencio alrededor.

–Pero, ¿sabe?, Jesús clavado en la cruz tiene el gesto que congrega. Él dijo: "Vengan a mí todos los que estéis atribulados, que yo los sanaré". ¡Increíble! ¿no? Él dice "todos", no dice unos cuantos, o solo tú y tú , sino "todos". Todos. Los más pobres, los más indefensos, pero también los más ricos, los devotos y los asesinos, los sencillos y los complicados, los de uno y de otro lado, y, gracias sean a Dios dadas, también usté y yo... Ecuador, puede ir y descargar en Él todo, todo, sus más íntimos quebrantos, sus más hermosas alegrías. Por eso le digo: alégrese. Su amigo está con Dios; lo está sanando. Pida por él, y por usté... Pida mucho, pida todo, Ecuador. ¿Está bien?

–Sí, Padre.

Le da un sorbo grande a la coca-cola. Fue rara por un momento la imagen de las manos del sacerdote con una coca-cola y un rosario, pero luego Ecuador comprendió que hasta lo más moderno y escandaloso también está sujeto o será sujeto bajo el Reino del Cordero.

–Bueno, la dejo. Debo proseguir mi camino. Voy hasta Durango...

Saca un crucifijo de plata vieja y se lo da a Ecuador.

–Se lo entrego, como un regalo de un pobre padre méxico-norteamericano. No se olvide de pedir por mí.

–Lo haré, padre.

–Hasta luego.

El padre hace ademán de irse. Ecuador se arrodilla y le besa la mano. Él palmea su cabeza, y la bendice, y luego se va por el mismo lugar que vino. Ecuador se sienta, y se queda pensando, y luego toma el pequeño crucifijo entre sus manos. Refulge un poco la vieja plata. De pronto pasa una manada de caballos, siguiendo a su líder, un gran caballo blanco, y cruzan la carretera, y se escapan por la tarde a su potrero.

93. *¡SI PUDIERAS, VENDRÍAS!*

–¿El Padre Toribio?; ¿estás segura? No puede ser...

–...

–El Padre Toribio Romo es un padre muy famoso en la frontera... Ecuador... murió hace cincuenta años... Es un espíritu o un resucitado... Y hace milagros... Hay páginas de internet sobre él. Y dicen que se aparece y ayuda a la gente en la penuria del desierto que quiere cruzar para alcanzar el sueño americano... ¿Era joven, de ojos verdes, de aspecto cansado? Es él... es él... ¿Qué te dijo?

–Que estaremos bien... Que pidamos... Que tengamos esperanza, y confianza...

94. *UN APARTADO REFUGIO AMIGO*

La noche en un *lodge*. Estaban tú, Pato, y Ecuador sentados, y había noche y silencio. Las estrellas sobre ustedes. En Flagstaff, Arizona, entre las montañas.

–Y la Osa Mayor, Betelgeuse, Orión, Próxima Centauri, y Arcturus, y... en Tolkien hay unos tan bonitos, a ti que te gustan los nombres: el Valacyrca, y Rommína...

–¿Te digo algo?

–Sí...

–Estoy embarazada de Andrés... Creo que me embaracé en Nueva Orleans...

–¡Es maravilloso, Ecuador!

¿Así dijiste? ¿O dijiste "Wow"?

–Ya no quiero ir a California, David... Quisiera regresar a México...

–Ya estamos regresando...

Luego te agachaste junto a la mujer que compartió los últimos días de tu mejor amigo.

–¿Puedo?

–Sí...

–Creo que lo oigo...

Ecuador se rio con esa risa que ahora amabas, entre otras cosas porque te traía a Andrés de vuelta.

–¿Cómo crees?

Sus manos se entrelazaron; y se miraban.

95. *Y MI ESPÍRITU ENTRETANTO*

Un anuncio de neón en Yuma. Afuera el "flap, flap" de una bandera norteamericana. Adentro, estabas tirado en una cama, escribiendo.

"¿Cuánto dura una conversación? Yo desde que conocí a Andrés, y que él fue mi amigo, como creo que yo lo fui para él, estuvimos enzarzados en una conversación que a veces se aparecía con la serenidad de un árbol, a veces con la furia de dos serpientes encarnizadas..."

Dejaste de escribir. Miraste una estampa cursi y barata del Sagrado Corazón de Jesús en la pared. Tú mismo la habías puesto. Y llorabas.

Otro trago más. Y luego dijiste en voz alta:

–Éste es mi último trago.

Por la mañana abandonaste la botella casi llena, allí mismo, en la mesita.

Manejaron luego hacia San Diego por en medio del desierto cambiante; dunas primero, luego montes con piedrecitas, luego montañas de inmensas piedras, más allá de Gila Bend. Te dolían terriblemente los oídos. Se te ocurrió un poema, y te sentiste orgulloso y luego triste.

GILA

Mis hermanos, they cross
themselves,
to cross the desert.

96. *Y UN DÍA TE FUISTE*

Y todo lo demás que recordarás toda tu vida, Pato: todo lo de antes de este viaje; y luego, lo de este viaje, que Andrés alentaba con tal ilusión, día a día; los ranchos de aligatores, el hombre que prensaba cigarros en Tennessee y que te dijo, confundiéndote con alguien: *Hello, long forgotten friend*, las mujeres afroamericanas que te sonrieron tan bonito ese domingo, el tigre disecado a la entrada de la tienda esa elegante, frente a Bulgari, el dibujo japonés que viste en la cincuenta y algo y que luego no pudiste volver a encontrar, los campos segados, los silos destruidos, el miedo que te daba cruzar Kansas, por los tornados, otrosí esa sonrisa que te echó un día Andrés antes de llegar a San Luis Misuri, el incendio de una casa, al borde del camino, la estúpida discusión de siempre sobre la pertinencia del presidente Bush, y Puerto Vallarta, cuando fueron a casa de John Huston, y el pueblito ése que era un foro en Durango, y las tardes y tardes en la sala Julio Bracho o la sala José Revueltas, o La fábrica en Coyoacán, o el CUC, que es de los Dominicos, y sí, es hora de decirlo, *Zabriskie Point*, sus discusiones revolucionarias en el *campus* y sus explosiones del final, esas explosiones extraordinarias, lentas, proféticas pero de un modo que tal vez sólo Antonioni imaginaba, y la misteriosa muerte de su protagonista, pocos años después, y cómo siempre te ha parecido el chavo más guapo que jamás hayas visto en un *film*, y cómo Antonioni no aceptó la música de *Los Doors*, no el único error de una flamante carrera, y de lo que decía Dennis Hopper en *Apocalypse Now* (*When he dies, man, if he dies...*) y del día en Yuma, en que, más que llorar, aullaste por la muerte de tu amigo.

–Pato, Pato, Pato, Pato...

97. *CON VIBRACIONES METÁLICAS*

La llegada a San Diego, y luego a Tijuana (QUINCE EJECUTADOS, decían los titulares). La barda, larga, triste, pintarrajeada, excluyente. Las cruces. *MexiKlan. Mexican Power*. "Si ve usted restos humanos o huesos por el camino, dé parte a las autoridades". Gringos yendo, mexicanos viniendo. *You can't Stop Aztlán.* Todo destartalado o brillante y todo sombrío o inocente; depende no de las cosas y de los animales y de la gente, sino de con qué ojos lo miras todo. No, todo sombrío. Pero cambió tu humor saliendo, yendo para Ensenada: allí vive la hermana de Ecuador, América, felizmente casada con el dueño de la concesionaria donde venden las Hummer.

98. *ES HOY LO MÁS LEJANO*

Medio nadaban en la Bahía de La Soledad, un poco más allá de Ensenada, y digo medio nadaban porque el agua estaba demasiado fría como para zambullirse. Eran como agujas de frío lo que se sentía.

Silencio. El mar. El cielo. De pronto se vio venir la Hummer de su hermana por la terracería, pasando la única tiendita del lugar, y la laguna para luego estacionarse blanca en la dorada arena de antes de la línea de la pleamar, y de ella, recuerda, bajaron dos perros, tres niños y una mujer fresquísima. Y aunque hubo tiempo todavía para hablar, no se dijeron mucho, sino que más bien siguieron las ocurrencias de los niños, las piruetas de los perros, los chismes calientes de América, el ritmo que la playa tiene y que a unos sosiega y a otros enloquece. No querían despedirse, pero tuvieron que hacerlo. Pasaron tres delfines por el mar. El sol caía. Y tú estabas triste y estaba triste Ecuador.

Las ballenas, en algún lado, siguen sus recorridos submarinos, y luego emergen, en este trozo de México.

99. *HASTA MURIÉNDOTE ME HICISTE BIEN*

En algún momento, del cuaderno de Andrés cayó un papel. Decía:

Lista de películas que me gustaría volver a ver.

Alice doesn't live here anymore...
The Deerhunter
Taxi Driver
On the Waterfront ¿Así se llama?
Badlands
La ventana indiscreta
North by Northwest
Pierrot le fou
La nuit americaine
Alphaville
Easy Rider
A Woman under the Influence
Opening Night
Faces
Husbands
La dolce vita
El ángel exterminador
Breakfast at Tiffany's
La notte
El desierto rojo

Teorema
Apocalypse Now
Zabriskie Point

100. *ENCENDERME EN LA SOMBRA DEL CAMINO*

En el Mercedes verde, luego de despedirte de Ecuador (que iba a quedarse unos días con su hermana para luego visitar a sus padres en Múzquiz), recorriste 3 000 kilómetros, de Ensenada a México, oyendo tan sólo a José José, comiendo sopa aguada, frijoles, arroz rojo, guisado y tortillas, en las fondas, bebiendo *Yoli* y tehuacanes, pensando tan sólo en ellos, para llegar hasta Las Águilas. Y allí decidiste, nomás entrar, y verlo todo igual cuando en realidad ya todo había cambiado, irte de México un rato. A París, a curarte. A la *rue du Bac* o a la *rue de l'Enfer*. ¿O cómo se llama esa otra? Así dijiste, Pato, así te dijiste.

101. *Y YA TÚ SOLA, FRANCIA, PUEDES DARME CONSUELO*

–Es un gran símbolo el que logró Orozco con su ballena..., oíste decir a ese escritor ya no tan joven, ya entrado en años, en una fiesta elegantísima, en la calle de Tres Picos, pues en Polanco pasaste la última noche que pasaste en México. Muy tranquilo, con una coca-cola en la mano, mirando a la gente hablarse y quererse y halagarse y molestarse e irse y venir, y prometerse, fumando un toque, te dijiste con alivio que en tan sólo 24 horas más, estarías abordando uno de entre los muchos aviones fulgurantes que tanto le gustaban a tu amigo. ¿Recuerdas, Pato?

FIN

NOTA

Esta novela está basada en un guión cinematográfico que yo escribí para Juan Carlos Martín; del guión él hizo una película, cuyo título es *40 días*. Yo, una novela, que ha tenido muchos nombres y se llama *Yerba americana.*

Una novela (de Defoe a Rulfo) se permite la narración, los puntos muertos, los pensamientos; una película (de Eisenstein a Mamet) tan sólo presenta, editadas, las acciones y sus consecuencias y lo que le sigue a éstas. Es Aristóteles contra Cide Hammete Benengeli. Una película presenta siempre un problema y, al resolverse o disolverse éste, la película se agota. Una novela puede no presentar un problema, o presentar varios, o no resolverlos. Las películas son como aviones que estallan; las novelas (por lo menos las mías) como barcos que se hunden.

De todas maneras hay vagos parecidos, como entre primos. Cada quien tan sólo busca el medio o el mensaje.

Escribo estos trozos sin mucha ilación, tan sólo para que el lector no piense que ha de ver la película, que es buena, ni la audiencia, líbrenos el Señor, leer el libro.

Pensé en seguir la línea de los *Caprichos* y *Disparate,* de Goya, cada uno con una frase si cabe más brutal o más precisa que el propio dibujo. Es por ello que los encabezados de los capítulos de la primera parte, *Soul*, son versos de poemas de las *Rimas,* de Gustavo Adolfo Bécquer; los encabezados de la segunda parte, *Country*, son versos de los *Cantos de vida y de esperanza,* de Rubén Darío; los de la tercera parte, *Blues*, versos de *La amada inmóvil,* de Amado Nervo. Sea.

Pablo Soler Frost
Tlalpan, D.F., a 19 de marzo de 2007,
día del señor San José

AGRADECIMIENTOS

A Juan Carlos Martín, director de *40 días*: y al *cast* y al *crew*; Luisa, Andrés, Héctor, Elena y José; Salvador, Johanzen, Lupita, Miguel, Miguel, Julián, Ángel, Hugo, Julio, Zsuzsanna, Alejandro, Alba, Christian, Malena, Chucho, Adriana, Carla, Humberto, Françoise, Mariu y Jorge, Iñaki, Adán, Fernando, Raúl, Alejandro, Jorge, Alfredo, Alejandra, Lety, Miriam y Lulú, Pablo, Pablo, Eric, Lillian, Samuel y Antu; a Lucas, Jerónimo, Zacarías, Gilda, Jari, José y Mónica, Antonio, Dalai, Alberto, a Isabel, y Annie, y también a Ernestina y Toñita, y Pilar; y a Cristina; a Mario y a Gustavo, y Martin y Luc y Ruy; y al chavo que nos sacó de un atolladero en Texas, a los amigos de Washington y Nueva York, y a las señoras de Alabama y a las señoras Navajo y a otros cuyo nombre lamentablemente no recuerdo, pero cuya gentileza quedará siempre en mi memoria.

ÍNDICE

I. SOUL
(Líneas de Gustavo Adolfo Bécquer), 9
II. COUNTRY
(Líneas de Rubén Darío), 79
III. BLUES
(Líneas de Amado Nervo), 129

Nota, 185
Agradecimientos, 187

Fotocomposición: Logos Editores
Impresión: Litográfica Ingramex S.A. de C.V.
Centeno 162-1, Col Granjas Esmeralda
México, D.F. 09810
26-VI-2008

Nueva narrativa mexicana en Biblioteca Era

Alberto Chimal
Éstos son los días
Grey
Christopher Domínguez Michael
William Pescador
Ana García Bergua
El umbral
Púrpura
Agustín Goenaga
La frase negra
Patricia Laurent Kullick
El camino de Santiago
Gonzalo Lizardo
Jaque perpetuo
Corazón de mierda
Fernando Montesdeoca
En los dedos de la mariposa
Verónica Murguía
El ángel de Nicolás
Auliya
Eduardo Antonio Parra
Los límites de la noche
Tierra de nadie
Nadie los vio salir
Parábolas del silencio
José Ramón Ruisánchez
Nada cruel
Martín Solares (selección)
Nuevas líneas de investigación. 21 relatos sobre la impunidad
Pablo Soler Frost
Cartas de Tepoztlán
El misterio de los tigres
Yerba americana
José Gilberto Tejeda
El justo castigo
Gabriela Vallejo Cervantes
La verdadera historia del laberinto